# ЕлеНа КоЛина

ИЗДАТЕЛЬСТВО «АСТ»
представляет книги
**Елены Колиной**

# Елена Колина

# через нехочу

АСТ
Москва

УДК 821.161.1-31
ББК 84(2Рос=Рус)6-44
К60

Серия «Проза Елены Колиной»

Подписано в печать 14.01.2013 г.
Формат 84×108 1/32. Усл. печ. л. 16,8.
Тираж 6000 экз. Заказ № 2322.

Общероссийский классификатор продукции
ОК-005-93, том 2; 953000 — книги, брошюры

**Оформление Ксения Щербакова**
*(Дизайн-студия «Графит»)*

**Колина, Елена Викторовна**

К60   Через не хочу: [роман] / Елена Колина. — Москва:
АСТ, 2013. — 317, [3] с. — (Проза Елены Колиной)

ISBN 978-5-17-077706-8

Все перемешано — и смех, и слёзы, и любовь. Дети взрослеют и
начинают жить своей жизнью, а их родители... тоже начинают жить своей жизнью. Сколько тайн им предстоит узнать: о себе и друг о друге?

Елена Колина, лучший писатель среди психологов и лучший психолог среди писателей, нежно и страстно рассказывает нам о том, что
происходит с людьми, с семьями, со страной — когда они перераста-
ют самих себя.

УДК 821.161.1-31
ББК 84(2Рос=Рус)6-44

Эта история произошла в стране, где «прелюбодеяние и посещение кинотеатров суть единственные формы частного предпринимательства»*. Персонажи прописаны в реальном, известном своей красотой и высокой стоимостью квартир Толстовском доме, но их личная жизнь придумана. Некоторые персонажи занимают конкретные должности, но лишь потому, что директором киностудии в городе на Неве может быть только *директор Ленфильма*, а секретарь райкома не может быть секретарем *вообще райкома*. Реальные люди, мелькающие среди персонажей, упомянуты исключительно в контексте личного опыта автора, — автор и сам удивился, когда писал эту книгу: оказывается, все со всеми вместе учились или вместе учили детей, виделись на детских днях рождения, подписывали друг у друга документы. Иногда встречаются мелкие хронологические неточности, необходимые для романного действия... Кажется, все. В общем, все совпадения случайны, все персонажи вымышленные.

_____
* И. Бродский.

Я полагал, что задача литературы — запечатлеть уходящее время.

Но мое собственное время текло между пальцев.

*И. Башевис Зингер*

«Золотая молодежь» — нарицательное название молодых людей, чью жизнь и будущее в основном устроили их влиятельные или высокопоставленные родители, из-за чего она стала легкой и беззаботной, а сами они стали ее прожигателями.

*Википедия*

**От кого:** Lev Reznik <reznik@gmail.com>
**Кому:** Татьяна Кутельман <kutelman@mail.ru>
21 декабря 2012, 16:47

Мышь бессмысленная!

Вчера я вернулся из Москвы, где я заболел, с таким отвращением ко всей этой праздности, роскоши, к нечестно приобретенным и мужчинами и женщинами средствам, к этому разврату, проникшему во все слои общества, к этой нетвердости общественных правил, что решился никогда не ездить в Москву.

**От кого:** Татьяна Кутельман <kutelman@mail.ru>
**Кому:** Lev Reznik <reznik@gmail.com>
21 декабря 2012, 20:55

Левка! Ты был в Москве-е?! И мне не сказа-ал?! Почему??? Секретики — от МЕНЯ?

**От кого:** Lev Reznik <reznik@gmail.com>
**Кому:** Татьяна Кутельман <kutelman@mail.ru>
21 декабря 2012, 17:01

...Я не был в Москве, ты, филолог хренов! Это Толстой, Лев Николаевич. А я не уезжал из Лондона.

Вот еще Л. Н.: «С седой бородой, 6-ю детьми, с сознанием полезной и трудовой жизни, с твердой уверенностью, что не могу быть виновным, с презрением, которого я не могу не иметь к судам новым, сколько я их видел, с одним желанием, чтобы меня оставили в покое, как я всех оставляю в покое, невыносимо жить в России, с страхом, что каждый мальчик, кот[орому] лицо мое не понравится, может заставить меня сидеть на лавке перед судом, а потом в остроге... Если я не умру от злости и тоски в остроге, куда они, вероятно, посадят меня (я убедился, что они ненавидят меня), я решился переехать в Англию навсегда или до того времени, пока свобода и достоинство каждого человека не будет у нас обеспечено».

Ну, Мышь, какова связь времен? Круто?

**От кого:** Татьяна Кутельман <kutelman@mail.ru>
**Кому:** Lev Reznik <reznik@gmail.com>
27 декабря 2012, 22:16

Встречалась с Жестким Продюсером, хотела показать синопсис.

Но не тут-то было! ЖэПэ не читает синопсисы, он читает логлайн, — про что кино. Голливудский стандарт 25 слов. Я сказала 9 слов, предлоги не считаются: три подруги, у одной роман с женатым, у другой развод, третья в поиске.

— Все хорошо, покажешь мне первую серию, добавь какую-то интересную мелочь, к примеру, труп.

— Труп?

— Модный тренд — это драма с элементами ситкома, с детективной линией и психологической составляющей, а не тупой женский сериал. Хочешь быть в тренде, добавь труп.

Я хочу быть в тренде. Я на труп возлагаю большие надежды.

**От кого:** Lev Reznik <reznik@gmail.com>
**Кому:** Татьяна Кутельман <kutelman@mail.ru>
29 декабря 2012, 18:01

Деньги на Аришу...

# Август — Сентябрь

## Красивые — это другие люди

Начнем с Фиры.

Почему с Фиры? Нет никаких особенных причин начать с Фиры, кроме той, что ее все любят, ее все *любят больше*.

Фира была счастлива с 01.09.1981 по 01.09.1982. Затем начались Фирины Муки. Муки разделялись на несколько разных мучений. Мучение № 1, первое по времени, было до неловкости «как у всех», Мучение № 3 было изумительно оригинальным, и каждое мучение было *самым* болезненным: одно от неотвратимости и невозможности хоть что-то предпринять, другое, напротив, оттого, что, казалось, можно легко вмешаться, поправить. Пойми, Фира, что это Муки, Наказание, Послушание, она сообразила бы, как быть, — ее экзистенция должна выйти в трансцендентное. Иначе говоря, уткнувшись в ошеломляюще обидную надпись «Вход воспрещен. Именно тебе», нужно закрыть голову руками, сгруппироваться и правильно упасть. Фира не поняла, что это Муки, и упала *неправильно*. Метафизическое мышление было ей не свойственно, она не согласилась бы даже с тем, что абсолютно свободна в своих действиях и страдает только потому, что хочет этого. «Как это я хочу страдать?! Я как раз не хочу страдать! Я просто хочу, чтобы все было как я хочу!» — сказала бы Фира, не заметив, что повторила «хочу» четыре раза подряд. Она принадлежала к тому типу людей, которым кажется, что легче смириться с собственным страданием, чем принять несовершенство окружающего мира, на самом же деле это чистое лукавство, они не собираются смиряться ни с чем: и мир должен быть таким, каким Фира желала его видеть, и страдать она не хотела. Поначалу ощущала некоторую обескураженность, вела себя как человек, с которым на глазах у людей приключилась какая-то неожиданная дрянь, как было, когда примчалась в школу без юбки, скинула пальто в учительской, — сверху блузка, снизу комбинация, кружево по подолу болтается, — и успела засмеяться первой, хитрила, пытаясь сохранить хорошую мину при плохой игре. Когда на смену Мучению № 2 пришло Мучение № 3, она так себя и чувствовала, будто без юбки, стеснительно и жалко, но было уже не до того, чтобы пытаться сохранить остатки самоуважения. Фирино состояние лишь в лучшем случае мож-

11

но было бы охарактеризовать как обескураженность, в худшем она была грандиозно несчастна. И если бы кто-то взялся написать «Портрет Фириной души» того времени, это были бы на весь холст одни глаза, вытаращенные глаза, смотрящие на мир с изумлением — неужели может быть так больно?..

## *31 августа*

31 августа Резники и Кутельманы отмечали начало учебного года, одни, без чужих, — девочки, Фира и Фаина с мужьями и как бы общими детьми. Не то чтобы Резники и Кутельманы позабыли, кто чей ребенок, но Фира и Фаина, выросшие в соседних комнатах коммуналки в Толстовском доме, были друг у друга всегда, и их дети, Лева и Таня, были друг у друга всегда. Первоклассником Лева Резник, разворачивая перед учительницей свою семейную экспозицию, сказал «у меня есть Таня, она мне как брат», и учительница умилилась, Таня, повторившая за ним эту трогательную фразу «у меня есть Лева, он мне как сестра», желаемого эффекта не достигла, никто не умилился. Лева был хорошенький, как фарфоровый пастушок, а Таня — долговязая некрасивая девочка в свисающих колготках.

Дружба Фиры с Фаиной не измерялась годами, но семейная дружба Резников и Кутельманов годами вполне измерялась, — столько же, сколько девочки были замужем, около двадцати лет, и за все годы Фира ни разу не разрешила Кутельманам пригласить кого-то из их личных друзей на «семейный праздник». Семейными праздниками ею были объявлены все дни рождения и Новый год, а с тех пор как дети пошли в школу, она, оберегая свое право на единоличное владение Кутельманами, добавила к интимно-семейным мероприятиям и первое сентября. Здесь Фира была отчасти права, она как школьный учитель и Кутельман как заведующий кафедрой меряли жизнь учебными, а не календарными годами, и для них и для детей первое сентября было «как Новый год».

Кое-какие вольности Фира, конечно, скрепя сердце Кутельманам позволила: защита Кутельманом докторской диссертации, назначение его заведующим кафедрой, издание учебника праздновались не в узком семейном кругу, а «с чужими». Илья Резник, льстиво заглядывая в глаза жене, захлебываясь подхалимским восторгом, припевал: «Господин Людоед, вы самый добрый, самый справедливый тиран». В Илье пропал актер. В Илье пропал актер, в Фире пропал генерал, в Кутельманах же ничего не пропало: Эммануил Давидович — ученый с международным именем, Фаина — кандидат наук. Илья называл Кутельманов «семья заведующих»: Эммануил Давидович — заведующий ка-

13

федрой на матмехе университета, Фаина — заведующая лабораторией.

А в Фириной жизни больше не было слова «диссертация», не было «Илюшка, где диссертация, Илюшка, когда ты начнешь, Илюшка, ты должен к чему-то стремиться, Илюшка, Илюшка...» Фира окончательно смирилась с тем, что хоть Эмка как научный руководитель сделал все, что мог, Илья никогда не станет кандидатом наук. Кутельманы считают Илью немного подкаблучником, но он только на первый взгляд подкаблучник, действительно, не было случая, чтобы он не выполнил Фириных решений, но *мелких* решений, а главного ее решения — правильно жить — он не выполнил. Лень, неспособность идти к цели, лежание у телевизора вместо диссертации — по сути, это было предательство, подножка, которую Илья подставил ей на правильном жизненном пути. Она жертвовала, трудилась, надеялась, ждала, а он?! Последние годы Илья на ее приставания с диссертацией говорил: «Да напишу я твою диссертацию, только прекрати меня дрессировать!» — и в этом «дрессировать» была доля правды, Фира была уверена, что если заниматься со своим питомцем, сочетая ласку и таску, — а что есть педагогика, как не это, — то настанет момент, когда Илья выполнит требуемый трюк. У Фиры половина брака ушла на то, чтобы понять, что ее муж, при внешней мужественности, человек зыбкий, по-женски уклончивый, что с ним как будто в трамвае спрашиваешь «ты выходишь», он отвечает «да» и продвигается на переднюю площадку, а через три остановки обнаруживаешь его сидящим и невозмутимо читающим газету и кричишь «ка-ак, ты же сказал...» — привыкла. Впрочем, почему Илья был *по-женски* уклончивый, вот Фира — совсем не уклончивая, напротив.

Праздновали одни, без чужих, — и всегда у Резников, в коммуналке, в комнате, разделенной перегородками на три пенала — прихожую, спальню и гостиную. Почему не в шестикомнатной квартире Кутельманов, ведь Фире нужно было только пересечь двор Толстовского дома, войти в подъезд напротив? Нет. Фира ревностно следила, чтобы все главные события происходили у нее. Но в этот раз она решила иначе, для всего, что она придумала, больше подойдет шестикомнатная квартира Кутельманов.

Всех закружила предосенняя рабочая суета, у Кутельмана защищались аспиранты, в лаборатории Фаины запускали новую установку, она недоумевала — дети взрослые, зачем праздновать, Илья хлопотал по поводу очередного юбилея в своем НИИ, подбирал музыку, сочинял поздравительную речь, а вечером делал «свое фирменное уставшее лицо». У Фиры в школе тоже кое-что было: ремонт туалетов на втором этаже, составление расписания, для завуча начало учебного года — горячее время, но это было не

15

важно, не имело значения. Она готовилась к празднику тщательно, радостно, и одна. В ее радостный хоровод был вовлечен только Кутельман.

За два дня до первого сентября Кутельман позвонил Фире с кафедрального телефона:

— Фирка! В моем кабинете ученые из Кембриджа, а нам на кафедру принесли продуктовые наборы.

— И что?..

— Англичан держат в моем кабинете, чтобы они не увидели, что у нас выдают продуктовые наборы... — объяснил Кутельман.

— Ты поэтому шепчешь, как шпион?

— Да. Я хотел посоветоваться. Дело неприятное, — почти засунув трубку в рот, прошипел Кутельман. — Понимаешь, у меня одного кролик, так неловко... У аспирантов тушенка, у доцентов сосиски, а у меня кролик...

Фира насторожилась — кролик, тушенный в сметане, неплохо...

— Так я хотел спросить. Как разделить кролика на всех?.. Он же мороженый... Я думал, ты знаешь...

— Эмка! Не вздумай делить кролика! Ты его честно заработал!..

— Но там еще банка горошка, и апельсины, и...

— Я что, из апельсинов буду горячее делать?..

Кутельман вздохнул, но спорить с Фирой не посмел, и кролик, выданный ему как профессору и

16

завкафедрой, прибыл к Фире вместе с банкой горошка, десятью апельсинами, палкой полукопченой колбасы, баночкой майонеза и пачкой вафель.

Фира не поленилась съездить за город, привезла огромный букет — ветки рябины, ветки клена, а Кутельману доверила поставить ветки в ведро, засыпать песком и обложить камнями, смотрела, как он старается, и приговаривала: «Ты, Эмка, безрукий». Эмка действительно безрукий, такой учинил беспорядок и так извел Фаину — принеси, подержи, — что она обозвала его «дядюшкой Патриком». И подумала: категорически неприспособленный к хозяйству Эмка в Фириных руках стал бы другим, *приспособленным*. Фира так весело-требовательна в быту, что перед Ильей всегда мысленно маячит ее шуточно-всерьез сжатый кулак — попробуй только не сделай!

31-го августа Илья под Фириным присмотром перенес к Кутельманам кастрюли с салатами, противень с наполеоном, отщипнув по дороге кусочек слоеного теста, и — гордо — латку с тушеным кроликом. Сама Фира весь день сновала через двор, от своего подъезда к Фаининому, с пакетами, пакетиками и свертками. Про все свои пакеты-мешочки Фира таинственно сказала «сюрприз» и в одну из шести кутельмановских комнат велела не заглядывать.

...Сюрприз у Фиры получился, настоящий «новогодний» сюрприз!

Открывала Фирину программу «летка-енка», Фира прыгала первая, громко пела «там, там, там-парам-пам-пам», вела цепочку, останавливаясь возле каждой двери и спрашивая с интонацией Снегурочки: «Сюда? Нет, не сюда!», за ней остальные, Фаина без улыбки, за ней Лева, Таня, потом Илья, дальше всех выбрасывая длинные джинсовые ноги, а замыкал цепочку Кутельман. Все, кроме Фиры, чувствовали неловкость, взрослые, притворяясь, что им весело, ради детей, дети — для взрослых, но вскоре включились, пропрыгали по длинному коридору. Кутельман прыгал со всеми и думал: «Нужно было встать за Фирой, смотреть, как дрожит на ее шее синяя жилка, только она умеет смеяться, так высоко закидывая голову, как ребенок, взахлеб, только она умеет так ярко наслаждаться жизнью, отчего же ей дано так мало?..» Фира оглянулась, и он поймал ее направленный на Леву влюбленный взгляд, следящий, хорошо ли ему, празднично ли ему, доволен ли он... — и подумал: «Лева. Все, что она делает, она делает для Левы — все эти огни, гирлянды, песни-пляски, все для Левы».

У двери в гостиную Фира резко остановилась, Кутельман уткнулся Илье в лопатки — он все время забывал, какой Илья высокий.

По Фириной команде «раз-два-три-пуск!» вошли в гостиную, обычно скучную, тусклую, ни одной личной ноты, ни картинки, ни вазочки, ни фотографии, — и обомлели.

— Фирка, ну зачем ты...

— Ну, Фирка, ты даешь!

— Тетя Фира, как красиво...

— Мама, как в Новый год...

И Фира засветилась от счастья.

Комната мерцала, мигала гирляндами. На стене лист ватмана, на нем красным фломастером «Наши любимые дети», и фотографии: первоклассники Лева с гладиолусами и Таня, испуганная, с астрами, второй класс, третий... девятый.

Под ведром с ветками, как под елкой, гора подарков, не по одному каждому, не меньше десяти завернутых в газету свертков, а то и больше.

Леве джинсовую рубашку, Тане тонкий черный свитер, Фаине помаду, Леве нейлоновую сумку для поездок на олимпиады, Тане красную сумочку на длинном ремешке, Фаине зонтик, Илье ремень, Кутельману ремень, Илье галстук, Кутельману галстук... Дети и Илья специально долго шуршали, разворачивая газетные обертки, рассматривали подарки.

— Фирка, а тебе что?.. — спросила Фаина.

Фира, сияя, отмахнулась:

— У меня все есть! И помада, и зонтик.

Кутельман вздохнул — у нее все есть, и помада, и зонтик, и долги. Фира брала учеников, кроила-выкраивала из учительской зарплаты, каждый месяц отдавала ему долг за машину Ильи. Это было мучительно, брать было нельзя и не брать было нельзя. Отдать ей деньги за эти «новогодние подарки» нельзя — все нельзя! Вспыхнет, закричит: «Ты что?! Разве я бедная?!» Когда люди такие близкие, а материальное положение такое разное, нужно быть особенно осторожным. Фирка — гордый человек, иногда не по-хорошему гордый, болезненно самолюбивый, обидится — не простит. Зато никто не умеет быть таким счастливым. Ему повезло. Чувствовать, как от Фириных команд в нем бегают волнительные мурашки, быть рядом с Фирой, когда она так особенно, как брызги шампанского, счастлива.

Кутельман был уверен, что существует биохимическое объяснение способности быть счастливым, не открытый еще ген, отвечающий за процесс транспортировки определенного гормона от нейрона к нейрону, иначе почему у Фиры — коммуналка, долги, Илья, — счастье выплескивается через край, а Фаине не хватит и бесконечности?

...А кролик оказался так себе, жестковат. Фирин салат оливье, Фирина фаршированная рыба «как мама делала», Фирин холодец, Фирин пирог с капустой...

Затем играли в фанты. Лева и Таня читали стихи, Кутельман от своего фанта «станцевать» отказался, и Илья за него выдал бешеный твист, Фаине выпало петь, она улыбалась, отказываясь, а Фира, расшалившись, пропела куплет из песни их общего с Фаиной детства:

> *Цилиндром на солнце сверкая,*
> *надев самый модный сюртук,*
> *по Летнему саду гуляя,*
> *с Маруськой я встретился вдруг.*
> *Гулял я с ней четыре года,*
> *на пятый я ей изменил,*
> *однажды в сырую погоду*
> *я зуб коренной простудил...*

— Фирка, перестань, это же пошлость, — сказала Фаина, но Фира, постанывая от смеха, пропела всю историю о том, как незадачливый любовник отправился к врачу:

> *Врач грубо схватил меня за горло,*
> *завел мои руки назад,*
> *четыре здоровые зуба*
> *он выдернул с корнем подряд...*

И допевали они вдвоем, Фаина со строгим лицом, а Фира, давясь смехом:

> *В тазу лежат четыре зуба,*
> *а я как безумный рыдал,*
> *а женщина-врач хохотала «ха-ха-ха»,*
> *я голос Маруськин узнал...*

*Тебя безумно я любила,*
*а ты изменил мне, пала-ач,*
*так вот же тебе отомстила,*
*бездельник и подлый трепач...*

— Шилиндром на шолнце шверкая, по Летнем саду иду-у, — поглядывая на Леву, шепелявила Фира. Смеется ли он, хорошо ли ему, доволен ли тем, какая у него мама.

Фира была счастлива, в общем и по пунктам. Изредка всплывавшие слухи о том, что Лева Резник с номенклатурной дочкой Аленой сожгли школу, были очевидной ложью, школа стояла на месте. Страшная история с пожаром, в котором едва не сгорело Левино будущее, почти забылась, и хотя Фира исчисляла время так — «Допожара» и «Послепожара», было очевидно — все, пронесло! «Послепожара» ей не быть директором школы, ну и что?! Главное, что теперь никакая сила не отнимет у Левы его Великое Будущее, он учится в лучшей в стране физматшколе, учится прекрасно, он, он... ЛЕВА.

Никто не считает себя лучше других вследствие неправильного воспитания или осознанного решения. Так же и способность ощущать себя «как все», как неисчислимые массы людей, не приобретается и не внушается, это встроенный в психику механизм, как встроено записывающее устройство в видеомагнитофон «Электроника ВМ 12», который Илья выпросил у Фиры — добыл-купил-гордился. Надо сказать, что Фира новую игрушку Ильи оценила, теперь после воскресного обеда с Кутельманами они смотрели кино, посмотрели «Апокалипсис», «Крестный отец», «Однажды в Америке», а «Эммануэль» посмотрели вдвоем с Ильей, когда Лева спал, смотрели и боялись, что Лева проснется и зачем-нибудь войдет в комнату, а у них на экране — такое. «Эммануэль», кстати, произвела на Илью мгновенное действие, как пурген, а Фиру эротика на экране скорее раздражала, ей больше нравилось быть с Ильей только вдвоем, без кассеты, и чтобы он шептал ей, как он ее любит, а не глазел на чужую тетку на экране, которая бесспорно моложе, стройней и красивей ее. Фира и в этом была как все.

Механизм «я как все» у Фиры работал бесперебойно — при ее удивительной, яркой цыганской красоте никогда ни мысли, ни даже оттенка мысли, что она выше, лучше других, что ей положено что-то, не положенное другим, и ни разу в жизни она не почувствовала, что она отдельно, а остальное человечество отдельно. В осознании себя она была «как все» и даже отчасти хуже многих, тех, к примеру, кто жил в отдельной квартире или у кого муж защитил диссертацию, — она воспринимала все семейные недочеты как собственную воспитательскую неудачу.

Осознать, что Илья *уже все*, было трагедией. Но любое четко сказанное судьбой *уже все* приносит пусть печальное, но все же успокоение, и Фира — это была новая Фира, впервые в жизни отказавшаяся от своего страстного желания, — стала спокойней и счастливей, чем прежде. И даже их любовная жизнь стала более страстной. Ее любовь к Эмке, то ли любовь, то ли вдруг вспыхнувшая обида на жизнь, ненадолго отдалила ее от Ильи, но потом все вернулось: она хочет Илью, не изменяет ему даже в мыслях, — чем же это не любовь? А изредка повторяющийся сон... не имеет значения, мало ли что может присниться. Сон был странный, ей снилась любовь, физическая любовь с Ильей и *любовь*, во сне Илья любил ее физически, она ему физически отвечала, но при этом испытывала нежность, и эта нежность была — Эмка. Как будто она любит двоих разной любовью, как будто у нее две души.

Если бы Фира могла говорить о сексе, она улыбнулась бы и радостно-ворчливым голосом сказала: «Ну, страстной наша жизнь была всегда...», и это правда. Но Фира даже с Фаиной никогда не обсуждала «это», кроме, пожалуй, одного раза: Фаина сказала «у нас с Эмкой с этим все», и Фира в ответ «ох...», вот и весь разговор.

...Но если бы Фира хоть раз в жизни заговорила о сексе... пожалуй, она сказала бы «отстаньте!».

Как говорил Мессир из любимого Фаининого романа, обозрев москвичей, «ну что же, люди как люди», — так и Фира — ну что же, обманутые надежды, смирение, очарования-разочарования, все как у всех... А если бы Мессир был психоаналитиком, он бы добавил: «Все как у всех, и секс как способ компенсации социальной неудовлетворенности». Фира была совершенно как все. Она и не претендовала на собственную уникальность. Но Лева, Лева!.. Лева не как все!

К десятому классу Лева Резник глядел сверху вниз с фотографии на доске почета 239-й школы с удвоенным правом — как победитель математических олимпиад и как человек Возрождения. Человеком Возрождения Леву называла учительница литературы, — она говорила, что его способности к гуманитарным наукам не меньше, чем способности к математике.

Фира была счастлива вообще и на каждом родительском собрании отдельно. На каждом родительском собрании Фира испытывала сладостное чувство в диапазоне от приятного волнения до почти болезненного спазма острого счастья.

Собрания всегда проходили одинаково: взволнованные родители рассаживались по партам, не глядя друг на друга, — что будет? Классный руководитель, математик, стоя на кафедре, тусклым голосом зачитывал список. Список был длинный — те, кто «подлежит скорому отчислению», затем такой же длинный — те, кто «не тянет», и самый длинный — те, кому «нужно больше работать, чтобы остаться в школе». Однажды одна мама упала в обморок, услышав свою фамилию в списке «не тянет», остальные оказались покрепче, но без маминых слез и папиных мрачно сжатых челюстей ни одно собрание не обходилось. Фира старалась не глядеть на растерянных родителей, по лицам которых будто мазнули мокрой тряпкой, особенно было жаль мам. Дети пришли в эту особенную школу не учиться, они пришли за своим будущим, — или родители привели их *за будущим*, поэтому мамы плакали и папы так не по-мужски драматично воспринимали.

После прочтения списка «ужасных» математик отмечал «прекрасных». «Прекрасных» было немного, рядом с фамилией звучало количество решенных особо сложных задач. Лева всегда был в этом коротком списке на первом месте, и Фира опускала голову все ниже, стараясь быть скромной, не петь лицом, не демонстрировать родителям обычных детей свое огромное, огромное, огромное счастье.

Школа была главное, но не Главное. Система математического образования была двойная — школа и математический кружок, и для настоящего успеха одно не могло существовать без другого, как без обеда не может быть десерта, а без десерта не может быть обеда. Школа была обед, знания, оценки, аттестат, поступление в университет, олимпиады, а маткружок был десерт, математика в кружке отличалась от математики в школе как полет мысли от ежедневных экзерсисов. Или, если сравнить с Фириным любимым фигурным катанием, школа — это обязательная программа, а кружок — произвольная программа, в школе учили, а в кружке занимались олимпиадной математикой, готовили к олимпиадам: городской, всесоюзной и — страшно сказать — международной. В маткружке Лева тоже был первым.

Математические олимпиады в городе проводились начиная с восьмого класса. В восьмом классе Лева занял первое место, как говорили в кружке, «на городе», но та олимпиада была еще как бы детская, не в счет, а Лева — победитель-девятиклассник уже представлял Ленинград на всесоюзной олимпиаде — и приехал с победой! О том, что случилось дальше, Фира предпочла бы забыть, помнить было мучительно, забыть невозможно, но она изо всех сил забывала, как будто не выбросила старое тряпье, а убрала на антресоли, с глаз долой.

Олимпиадные дипломы хранились у Фиры в комоде вместе со всеми документами, но место занимали отдельное, почетное, ведь ее и Ильи дипломы о высшем образовании были прошлое, уже имели значение только антикварное, букинистическое, а Левины дипломы — это блестящее будущее, матмех ЛГУ, аспирантура в институте АН СССР, математические конгрессы, медаль Филдса.

«Но если кто-то победит на всесоюзной в десятом классе... — Фира суеверно думала «кто-то», не называла Леву даже мысленно, чтобы не сглазить. Человеку нельзя желать так много, это будет наглостью. — Но если... если-если-если... тьфу-тьфу-тьфу, чтобы не сглазить... если кто-то победит на всесоюзной олимпиаде, он будет допущен к участию в международной олимпиаде...»

Если Лева победит в международной олимпиаде, он получит право поступать в любой университет без экзаменов. Они заранее выбрали — матмех лениградского университета.

После «летки-енки», не дожидаясь чая, бросились к торту, наполеон съели прямо с противня, не переложив на блюдо, а Таня смотрела на часы и толкала Леву в бок и подмигивала ему.

— Можно нам к Виталику? Мы обещали, что придем ненадолго. Если вы не возражаете. Мама?..

Фиру как будто выключили в момент самого возбужденного веселья, она смотрела на Леву с выражением женщины, от которой в Новый год любовник уходит до того, как пробьют куранты. Она ведь все для него: и красивая для него, и поет для него, и пляшет, и подарки...

— Ты правда хочешь уйти?.. А у меня еще бенгальские огни, будем жечь в ванной, как в Новый год...

— Там все-е, и Але-ена, и Ари-иша, — протянула Таня. — Там та-анцы...

— Там все. Там танцы, — весомо сказал Илья,
поборник священного права человека на развлече-
ния, и просительно взглянул на Фиру. — Фирка, от-
пусти их.

Дети ушли.

Фаина начала убирать со стола, Кутельман вышел поискать Фиру. Он нашел ее в полутемной
прихожей перед зеркалом, она не обернулась, когда он подошел. Стоя за ее спиной, Кутельман смотрел на ее лицо в зеркале, лицо было таинственно-
печальное, как бывает при тусклом свете, и вдруг
она сделала странную вещь — послала воздушный
поцелуй, то ли сама себе, то ли ему. И, не оглядываясь, сказала:

— Эмка, а если Лева пропустит всесоюзную
олимпиаду? Ну, все же может случиться, например
заболеет гриппом? Тогда у него не будет шансов попасть на международную...

— Он и без олимпиады поступит на матмех.

— Ты, Эмка, наивный, как ребенок! На матмех
каждый год принимают двоих евреев, но где гарантия, что Лева окажется одним из них? А если нет?!

...Хлопнула входная дверь.

— Фирка, домой!.. — с порога закричал Илья и
по-детски обиженно добавил: — Какая гадость, как
вам не стыдно... Мне вот стыдно, что я в этом уча-

ствую, а вам нисколько. Танцевали, веселились, а ей не сказали?! Стыдно было, да? ...Как Таньку жалко... Вы не люди, а звери... Господа, вы звери!.. Фирка, домой! Быстрей...

Возбужденный алкоголем, танцами и негодованием Илья тронул Фиру за коленку, сделал вид, что поднимает ей юбку, и она укоризненно покачала головой — подожди до дома.

Кутельман поморщился на недвусмысленный жест — неприятно, неправильно! Физическая любовь в юности оправдана продолжением рода, но секс после сорока — личный выбор каждого, и он свой выбор сделал, секс уже давно кажется ему глупым — один человек помещает часть своего тела в другого человека, и этим нелепым действиям люди придают особый, чуть ли не сакральный смысл, называют любовью. Но любовь не имеет ничего общего с мужским яростным желанием, любовь — это поместить в другого человека не часть своего тела, а часть *себя*, своей человеческой сути.

...Во дворе Фира подняла глаза на окна Ростовых.

— Интересно, что они сейчас делают?

— Ну что они могут делать, играют в бутылочку, делят на десять человек бутылку портвейна... — легкомысленно отозвался Илья.

— Типун тебе на язык, они хорошие дети... Бедная Танька, вот будет завтра реву... бедный ребенок, бедная наша глупышка.

— Почему вы ей не сказали? — спросил Илья. Фира не ответила, и он не настаивал, ему не хотелось допытываться, хотелось совсем другого, он подтолкнул Фиру к подъезду: — Идем, идем скорей...

# ДНЕВНИК ТАНИ

*31 августа*

Я хотела начать новый дневник завтра, 1 сентября, как делаю каждый год. Но сегодня вечером произошло невероятное, поэтому я пишу ночью. Нина из-за меня потеряла девственность. Я виновата, я не снимаю с себя вины! Но ведь это была просто игра, шутка!

Я не одна виновата! Если бы я сделала то же, что Нина сегодня... то я бы мгновенно превратилась для родителей в грязь, самую грязную на свете грязь! Как она смогла, как решилась, как?!! Ведь она человек строгих нравственных правил, у нее даже чересчур много внутренних запретов. Ариша даже к бокалу шампанского на Новый год относится как к страшной опасности, даже легкое опьянение, «пузырьки в голове» для нее огромное страшное У-У, НЕЛЬЗЯ. А для Нины — все НЕЛЬЗЯ!

Не знаю, с чего начать!

Вечером тетя Фира и все наши веселились как дети. Жалко их, они думают, что нам нужна «летка-енка» и бенгальские огни, а мы с Левой душой были не с ними. Ждали, когда можно будет, соблюдая приличия, попроситься к Виталику.

Все-таки не знаю, с чего начать!

Начну с себя.

У Виталика на столе в гостиной альбом Модильяни. Все его модели похожи на меня и моего папу — длинные печальные лица. И вдруг девушка с золотыми волосами, как будто Аришин двойник! И на Алену одна немного похожа — упрямым выражением лица. А я дылда, выше Ариши и даже выше Алены.

Кроме нас, были еще другие друзья Виталика. У Виталика широкий круг общения, дети артистов и др. Виталик знаком со всеми «дочками» Ленинграда: с дочкой Пьехи Илоной, с Наташей, дочкой Марии Пахоменко, с дочкой Басилашвили и другими знаменитыми дочками. Я сидела, стеснялась их и думала, хорошо ли быть «дочкой»?

Каждый человек живет на какую-то тему, как будто пишет сочинение «на тему». Тетя Фира живет на тему «Лева», мой папа — ученый, поэтому живет на тему «теория оболочек»... и еще «Лева», мама живет на тему «все должно быть правильно». А «дочки» живут на тему «родители». Илона рассказывала, как ссорится с мамой. Виталик нашептал мне на ухо, что Илона на вступительном экзамене в театральный написала сочинение «Как я ненавижу свою мать». Может, приврал для красоты. А может, и нет. Ей, наверное, все говорят: «Твоя мама красавица, а ты похожа на папу». Дочка Басилашвили Ольга то и дело гордо говорила «мой папа».

Лева сказал ей: «А знаешь, кто мой папа? Мой отец — Илья Резник». И все засуетились: «Как, твой отец — Илья Резник?!» Лева удивился, и я удивилась — откуда все знают дядю Илюшу? Оказалось, есть большая знаменитость в мире эстрады — Илья Резник, пишет песни для Аллы Пугачевой. А мы и не знали, потому что эстрада не входит в сферу наших интересов. Лева просто хотел сказать, что любит своего папу не меньше, чем она своего, хоть он никакая не знаменитость.

Илона поет вместе с Пьехой, Наташа Пахоменко тоже поет вместе с мамой, их показывают по телевизору.

А если бы всех показывали по телевизору вместе с родителями? Меня бы показали вместе с папой, как мы вдвоем пишем формулы на доске, пишем, кладем мел, вытираем пот со лба... я в костюме и галстуке. А Лева вместе с дядей Илюшей — лежат на диване и смотрят футбол.

Все, абсолютно все были в джинсах, а я в юбке, вот драма моей жизни.

ДЖИНСЫ ЕСТЬ У ВСЕХ, КРОМЕ МЕНЯ. Даже мышка Микки Маус носит джинсы «Levi Strauss&Co»... А я? У Алены, Ариши и Нины джинсы «Levis». У Левы «Lee». Ценность джинсов «Lee» заключается во флажке, бывают с оранжевым флажком и с красным, оранжевый лучше, чем красный.

У Виталика джинсы разных фирм, у него есть «Levis», «Lee» и «Wrangler».

А у меня эстонские джинсовые брюки за двенадцать рублей. Стыдные, позорные, невыносимые эстонские джинсы. Мама иногда спрашивает, почему я не надеваю свои «джинсы», и тогда я вынуждена надевать этот кошмар моей жизни, незаметно засовывать под свитер юбку и переодеваться в лифте.

Папа не жадный, но разве мне можно разговаривать с ним об одежде, объяснить, что человек в фирменных джинсах становится другим?! Один раз я робко сказала: «Папа, у всех есть джинсы, кроме меня», и он ответил: «Ты хочешь быть как все?» С любопытством, как будто проводил эксперимент по вычислению моей человеческой ценности.

Что мне предпочесть — человеческое достоинство в юбке или унижение в джинсах? Ответ понятен.

— Да, я хочу быть как все.

— Хорошо. Пусть мама купит тебе все, что сочтет нужным, чтобы ты была как все, — сказал папа и так горько скривился, как будто теперь-то уж стало совершенно понятно, что я не оправдала его ожиданий.

Но лучше бы я выбрала человеческое достоинство, потому что унижение оказалось напрасным.

— Это противоречит принципам нашей семьи, — ответила мама.

— При чем здесь принципы?

— Если нужно объяснять, то я опоздала на целую жизнь, — печально сказала мама.

— Нет, ты не опоздала! Я все знаю! Носить джинсы, которые стоят как зарплата инженера, это пренебрежение к людям, у которых хуже образование и соответственно меньше зарплата, чем у вас, — заторопилась я, — а я сама еще никто. Я должна выучиться, работать, достигнуть успехов и на пятидесятилетие купить себе джинсы.

Мама не улыбнулась. Ей не нравится мой юмор.

Было много вина «Изабелла», оно оставляет красные следы на бокалах, вино купили мальчишки, и Виталик еще купил коньяк, который никто не пил, а из еды каждому по пять кусочков копченой колбасы и столовая ложка черной икры. Я пишу о еде, потому что хочу в будущем писать сценарии для кино, и мне нужно учиться выделять детали. В кино именно с помощью деталей показывают характеры.

Любая сцена должна быть такой, чтобы можно было ответить на вопрос «про что эта сцена?». Эта сцена еды про что? Про то, что с помощью икры и колбасы мама Виталика замаливает свои грехи, но все равно он брошенный, у него икра есть, а хлеба нет.

Все набросились на копченую колбасу, как голодные зверьки, и я тоже. Мне было неловко, но я очень люблю копченую колбасу. Получается, что я готова отдать свое достоинство за кусок копченой колбасы! А Ариша подсовывала свою колбасу Виталику, потому что мы все уйдем по домам ужинать, а у него останется только коньяк. Значит, эта сцена — про Аришу, какой она тонкий тактичный человек, как она любит Виталика.

Мы играли в «крокодила». В эту игру играют студенты театрального института. Все делятся на две команды, одна команда придумывает фразу, и человек из этой команды должен показать эту фразу без слов, а другая команда должна отгадать.

Алене нужно было показать фразу «в джазе только девушки», она надула губы, как Мэрилин Монро, затуманила глаза и начала прерывисто дышать. Алена лучше Мэрилин Монро, в Аленином лице кроме красоты виден сильный благородный характер. Алена слишком красивая для обычного мира.

Ариша вообще отказалась играть, она стеснительная. Тихая прелесть Ариши рядом с Аленой как будто тень от предмета по сравнению с самим предметом.

Нина встала, чтобы показать свою фразу, и всем стало неловко. Она как будто превратилась в несмазанного скрипучего робота, не могла двигаться. Она стесняется, потому что она впервые у Виталика. Не то чтобы ее специально не приглашают, просто говорят «пока», и мы все идем вместе в кино или к Виталику, а она идет домой.

Мне нужно было показать фразу «дружба между мальчиком и девочкой — это секс». Я думала, с ума сойду от стыда, но мне не пришлось показывать слово «секс», Лева сразу отгадал всю фразу.

Виталик показывал как настоящий артист! У него как будто все тело танцует, и поет, и улыбается. И уже не видишь, что он некрасивый, похож на молодой огурец, тонкий, слегка искривленный, бледно-зеленый. Ариша смотрела на него, как мама-утка на своего утенка на птичьем дворе, — вдруг ему что-то понадобится, а она тут как тут!

В любви всегда кто-то целует, а кто-то подставляет щеку. Ариша целует, а Виталик подставляет. Когда мама Виталика вышла замуж через месяц после трагической гибели его отца, Ариша подобрала Виталика, как птенца, выпавшего из гнезда. А Виталик, как настоящий кукушонок, быстро стал главным. Почему-то ко мне так и лезут сравнения из птиц!

Потом Виталик сел к папиному роялю и стал играть «Help», он сделал аранжировку «Битлз» и играл с секвенциями из Баха. Виталик талантлив во всем! Он будет эстрадным музыкантом или актером, обязательно знаменитым, слава просто ждет его за углом!

Потом мы играли в фанты. В этот вечер всё, буквально всё вертелось вокруг секса. Все фанты были про это. Я не могла придумать ничего оригинального и тупо молчала. Виталик прошептал мне: «Лишить Нину девственности», и чтобы не молчать, я повторила: «Этому фанту лишить Нину девственности». Я улыбалась как дура. Потому что хоть это была шутка, но дурная шутка.

Мальчик, которому выпал этот фант, — сын артиста из Театра комедии, которого мы все сто раз видели по телевизору. Он очень взрослый и уверенный в себе. Он засмеялся, потянул Нину за руку, и она встала. Стоит и не знает, что делать.

Поскольку я сама стеснительный человек, я ее понимаю. Ее позвали в эту компанию первый раз, и она боится что-то сделать не так, хочет быть как все. Не знает, как здесь принято себя вести. Можно ли ей рассердиться и сказать «отстань!», или все будут над ней смеяться, подумают, что она тупая. А превратить все в шутку она не может, она не умеет шутить.

Они вышли из комнаты. И их нет и нет.

И все нет и нет! Стали играть дальше без них. А их все нет и нет! Потом этот мальчик вернулся. А Нины нет и нет! Мне было мучительно стыдно. А вдруг он как-то обидел эту дурочку Нину, посмеялся над ней? И она сидит на кухне и плачет?

Я ее не люблю. Нас пятеро — Лева, Алена с Аришей, Виталик, я. Алена с Аришей все время продвигают Нину, но я ни за что не соглашусь считать ее одной из нас! С того времени, когда Аленины-Аришины родители ее удочерили, Нина неузнаваемо изменилась: была зверек, а теперь спортсменка, комсомолка, отличница. Все люди растут, развиваются, но приличные люди развиваются в другую сторону. Я не доверяю общественным деятелям! Всем людям интересна только своя жизнь, писателям интересны чужие жизни, но конкретные, а Нине зачем-то нужно безличное благо для безличной толпы — класса, или школы, или человечества. Может показаться, что я злопамятная, не могу простить ей «жидовку». Нет! Я тогда собиралась в гости к Виталику — как будто это первый бал Наташи Ростовой. Мама сказала: «Ростов — мировая знаменитость, там будет весь творческий Ленинград, веди себя прилично». Как будто я могу вдруг завыть или начать кусаться. Это был Нинин первый день у Смирновых, ее привели сразу же в гости, в такой дом! Знаменитый Ростов, мама Виталика в длинном платье, гости, люди искусства, и вдруг она на весь стол орет мне «жидовка!», и все онемели. Как в кино.

Мы с ней катались по полу, как дикие звери, на глазах у всего творческого Ленинграда.

Я Нине не доверяю! Вдруг из ее нынешнего безупречного облика вытянется рука и как даст мне по башке? Думаю, в общественных деятелях таятся подозрительные глубины.

Но все-таки Нина здесь чужая, как бы гость, а мы как бы хозяева. Я попросила Виталика ее поискать.

Виталик ушел за Ниной, вернулся один и объявил: «Вечеринка закончилась. Мама звонила, скоро придет». Я встала, а он тихо сказал: «А вас, Штирлиц, я попрошу остаться». Всех чужих проводил, вытолкал, и мы остались одни: я, Алена с Аришей, Виталик и Лева.

Ох, что произошло!

Ох, сколько там было крови. А ведь мама Виталика приходит к нему раз в неделю, придет и увидит следы крови в своей спальне!

Мы отмывали кровь с Аленой, Алена с пола, а я с матраса. Виталик стоял над нами и изображал тетю Фиру. Она всегда входит в класс и спрашивает: «Что у меня тут происходит? Это обычный урок математики или у меня тут детский сад?»

Виталик тети-Фириным голосом говорил:

— Что у меня тут происходит? Это обычная потеря девственности или у меня тут зарезали овцу? — И Нининым голосом отвечал: — Фира Зельмановна, не беспокойтесь, это обычная потеря девственности.

Нина все это время пряталась в ванной, Ариша была с ней.

Мне стало плохо от крови, и Алена отмывала одна, смотрела на всех со своим любимым упрямым выражением «да, ну и что?!». Виталик сказал:

— Давайте вывесим простыню во дворе, как Нинины предки, она же из какой-то деревни.

Лева делал вид, что не смущен.

И мы все время смеялись.

Люди бы ужаснулись — что мы так развратны, не стесняемся, смеемся. Но это был нервный смех. И не разврат, а просто мы пятеро такие близкие друзья, что самые интимные вещи становятся достоянием каждого.

Виталик сказал:

— Каждая из вас, девочки, потеряет девственность на этой кровати.

КРОМЕ МЕНЯ. Я ОСТАНУСЬ СТАРОЙ ДЕВОЙ.

Мне не в кого влюбиться! Лева, конечно, самая грандиозная личность из всех моих знакомых, но он не видит во мне женщину. Я для него как домашние тапочки. И он с детства знает, что я глупее. Как можно относиться к домашним тапочкам, которые к тому же глупее?..

В прихожей Алена вспомнила, что сказала маме, что идет в кино на новый фильм из серии «Шерлок Холмс и доктор Ватсон». «Шерлока Холмса» снимали во дворе нашего дома, как будто наш двор — это Лондон.

Зачем врать? «А из принципа, нечего спрашивать, куда я иду», — объяснила Алена. По-моему, нелогично. Наврала и, оглядываясь, шмыгнула, как мышка, через двор, к Виталику.

— Про что кино? — спросила Алена.

— Про собаку Баскервилей, — сказал Виталик.

Отчим Виталика один раз разрешил нам прийти на «Ленфильм». Вообще-то, он разрешил Виталику с Аришей, а меня Виталик взял от страха, что я скончаюсь от зависти. Увидеть своими глазами, как создавались любимые фильмы! На «Ленфильме» было как будто я Алиса и провалилась в кроличью нору и попала в другой мир! Виталик очень оживился среди реквизита, там были вещи из «Шерлока Холмса» — скрипка, трубка. Он примерил пиджак Шерлока Холмса, твидовый с коричневыми пуговицами, и жилетку, и рубашку, Ариша надела парик и платье княжны Волконской из «Звезды пленительного счастья», она была совсем как княжна, очаровательная. А для меня самое-самое был монтажный стол, на нем — на нем! — клеились негативы великих картин! В кабинете сценариста я потрогала стол на счастье и загадала, что я вернусь сюда.

Мы с Аленой-Аришей и Ниной стояли во дворе, Алена спросила Нину:

— Ну?.. Зачем? Неизвестно с кем! Это же клиника, ты клиническая идиотка...

Нина угрожающе сказала:

— Отстань!

Алене она не боится сказать «отстань», они как сестры. То есть Нина приемная, но они как сестры.

— А ты, Танька, что думаешь? — спросила Алена.

А я что думаю?

Я думаю, что жалко ее. Я думаю, что она растерялась и хотела показаться своей. Наверное, ей казалось, что здесь все так себя ведут, и она постеснялась устраивать сцену. Испугалась, что если она его оттолкнет, ударит, закричит, выбежит из комнаты, это будет стыдно, неловко, все подумают «вот дура!». Я думаю, это судьба, интересный сюжетный ход. При всей ее внешней обычности по своей судьбе Нина — персонаж.

Квартира Виталика имеет какой-то особый смысл в Нининой жизни. Здесь второй раз происходят поворотные события ее жизни, второй раз она ничего не понимает! Тогда, давно, не понимала, что нельзя говорить «жидовка», что все смотрят на нее с отвращением. А сегодня так неромантично потеряла девственность во время игры в фанты, почти что при свидетелях, чтобы показаться своей человеку, которому она никогда не будет своей, который забыл о ней, как только вышел за порог. Нина — комсорг, отличница, любимица учителей, особенно тети Фиры. Но иногда кажется, что она как Алиса в Стране чудес, ничего не понимает. Жалко ее. Таинственно привезли в Ленинград, удочерили, ее настоящие родители — тайна.

Мне повезло, что все окружающие меня люди — персонажи по судьбе или яркие личности. Они действуют, создают события, а я описываю их жизнь.

Больше всего на свете люблю писать!

Никто не знает, что у меня есть Великий План. Внутренне я как река, которая вот-вот выйдет из берегов. Я хочу написать рассказ.

Вдруг меня напечатают? Дину Рубину же напечатали в «Юности», когда ей было шестнадцать лет.

Или лучше киноповесть. Вдруг по моему рассказу снимут кино? Тогда будет слава, признание.

НО О ЧЕМ ПИСАТЬ?????????????????

БАЛДА, БАЛДИЩА, пиши о том, что знаешь. Про любовь.

Про любовь я ничего не знаю.

А что я знаю?

Я знаю пять имен девочек: Таня — раз, Алена — два, Ариша — три...

А вот хорошая идея — написать о себе. Что меня больше всего волнует?

Честно говоря, больше всего на свете меня волнуют джинсы. Что у всех есть джинсы, а у меня нет.

А что, если... ЧТО ЕСЛИ ТАК И НАЧАТЬ????!!! Это будет рассказ об одинокой девочке, которую любят, но строго. Главный принцип ее родителей — любовь должна быть с кулаками. А она от их любви становится все одиночей и одиночей.

Сегодня вечером мама с папой со мной не разговаривали, как будто я в чем-то провинилась. Смешно, что наша жизнь кипит, а родители все еще считают, что мы факт их жизни. Как будто мы маленькие.

Но я все еще как маленькая люблю свою школу, свою парту, люблю, что сижу с Аленой, люблю, что завтра всех увижу, кроме Левы, конечно, — наследный принц математики, папин духовный сын, продолжатель дела его жизни, математики — царицы всех наук, идет в свою знаменитую школу, как говорит папа, «лучшую физматшколу в городе, возможно, в стране, возможно, в мире». Мерзкую математическую школищу для гениев. Что я как следует ненавижу, так это математику-царицу.

Рабочее название моего рассказа «Девочка, у которой не было джинсов».

* * *

В ночь на первое сентября Фаина спала прекрасно, а Кутельман беспокойно, несколько раз за ночь просыпался, а под утро проснулся и больше не заснул, лежал, представлял — как будет. Кутельман не ждал бурной реакции, истерики, срыва — Таня умственная девочка, вся в книгах. Ну что, собственно, она может сделать? Выскочить из дома, изо всех сил хлопнув дверью? Она ни разу в жизни не совершала таких решительных действий — хлопнуть дверью, уйти; она вообще боится совершать решительные действия. Но она все же подросток, пусть и не буйный, а подросток, чуть что, воображает, что его предали. Скорее, он опасался не Таниных действий, а собственной к ней жалости. Но действительность превзошла все его ожидания.

Таня вышла на кухню уже полностью одетой, в форме, в белом переднике, и обнаружила маму с папой сидящими за столом с напряженными лицами.

— Сейчас восемь пятнадцать, тебе пора выходить. Лева идет с тобой, проводит тебя в школу, — сказала Фаина.

— Проводит меня — зачем? Ему ведь тоже в школу, — удивилась Таня. — А мне еще рано, мы с Аленой-Аришей встречаемся во дворе без четверти девять.

— Ты теперь учишься в другой школе, в 239-й. Теперь у тебя тоже есть будущее, скажи спасибо папе.

— Спасибо, — засмеялась Таня. Мама редко шутила, поэтому Таня смеялась старательно, желая показать, что это была удачная шутка.

— Эмма, ты обещал. — Фаина сжала губы, смотрела вдаль, мимо Тани, на Танино прекрасное будущее.

— Э-э... да. Таня, окончить эту школу в некотором смысле то же самое, что окончить Гарвард, — сказал Кутельман.

— Ну, Эмка, не преувеличивай... — Фаине нравилось, что «Гарвард», что «математика», что Таня прямо сейчас, в наглаженном белом переднике, шагнет из кухни в свое будущее.

— Таня?.. Ты почему не плачешь?.. «Наша Таня громко плачет», — фальшивым бодрым голосом произнес профессор Кутельман.

И все? И все. Почему она не заплакала, не закричала, не спряталась в своей комнате, не убежала из дома? Шок? Оторопь от масштаба предательства?..

Потом это бывало с ней в моменты стресса, когда земля уходила из-под ног, но тогда впервые случилось: как будто все, что с ней происходит, — это кино, а она сидит в зале и смотрит на экран — про что кино?.. Потом, *совсем потом*, через много лет, она прочитала, как работает один из механизмов психологической защиты — изоляция, отделение психической сферы от реальности.

Это было не немое кино, она слышала текст.

— Никто не ждет от тебя побед на олимпиадах, а просто учиться ты сможешь, если ты не окончательная идиотка...

...Я знаю, как понять другого человека. Для этого нужно представить, что я — раз и впрыгнула в него.

Если впрыгнуть в маму.

Она хочет гордиться своим ребенком. Но не может. Она хочет меня любить без памяти, как тетя Фира любит Леву. Но она не может прижать меня к себе, поцеловать, как тетя Фира Леву.

Мама думает, что тетя Фира любит Леву за то, что он гений. А ей меня так уж сильно любить не за что. Но если бы я ответила ей тем же??? Больше любила бы папу за то, что он профессор, доктор наук, всемирно известный человек в своей области, автор учебника, а она кто?.. Всего лишь кандидат наук. Но я же люблю их одинаково.

— Математика организует ум, тебе это необходимо...

...Если впрыгнуть в папу.

Для папы счастье, что у него есть Лева.

Мне маму и папу очень жалко за то, что у них такая неудачная я. Для других родителей я была бы удачным ребенком: я отличница, играю на скрипке, мои сочинения всегда лучшие, но ИМ ВСЕ МАЛО, все мои достижения — ерунда по сравнению с Левой. «Балда, часами может пялиться в телевизор, обожает «Кабачок 13 стульев», пишет какие-то глупости в тетрадке». ...Почему не показывают «Кабачок 13 стульев»?! Я скучаю без пани Моники и пана Зюзи...

— «Папа у Тани силен в математике, учится папа за Таню весь год...»

...Кто это поет?.. Мама. Объективная семейная оценка меня «так себе», человек средних способностей. Но это только моя оболочка в этом равнодушном мире, а внутри очень тонкая душа. ПОЧЕМУ ОНИ НЕ ХОТЯТ В МЕНЯ ВПРЫГНУТЬ?

— Это не пренебрежение тобой как человеком, это для того, чтобы ты стала человеком... Не хочешь?.. Нет, ты хочешь! А если нет, значит, ты станешь человеком через «не хочу».

...Лева никогда не позволил бы распоряжаться собой, как пешкой. Алена никогда не позволила бы... Независимость дается человеку вместе с красотой. Поэтому красивые — это другие люди.

А вот и второстепенные персонажи: тетя Фира, дядя Илюша. Тетя Фира главная, как она скажет, так и будет. Я умоляла купить мне к школе лакированные туфли-лодочки, лакированные лодочки делают мои ноги почти такими же красивыми, как у Алены. Но у мамы принцип, что только духовное важно. Если для меня так важны туфли, то она ни за что не купит. Тетя Фира велела: «Фаинка, оставь свои принципы и купи ребенку туфли», мама поджала губы, но купила.

— Лева тебе поможет.

...Лева, Лева, Лева... Нельзя плакать, от этого Левино величие в маминых глазах еще больше, а ее неудачная дочь еще хуже, — плачет и подвывает, как собачка.

В кино меняется сила звука, от крика до шепота. Это дядя Илюша. Единственный человек в этом мире, который понимает, что они со мной сделали. Дядя Илюша шепчет: «Танька, прости...»

Была еще одна причина Таниного странно кроткого поведения, *настоящая* причина, которая, как все настоящие причины, может показаться нелепой. Таня стеснялась, что мама увидит, *что она чувствует*... Показать маме свой ужас, свой страх, обиду, как и любые свои эмоции, — раскрыться — было невозможно, немыслимо! Неординарная на первый взгляд ситуация — стесняться собственной мамы, но если всмотреться, то и ситуация, и сама Таня покажутся не такими уж странными.

Фаина, конечно, не намеренно создала отношения, подразумевающие некую эмоциональную стерильность, она не отталкивала Таню, когда та была ребенком, не насмешничала, не оскорбляла, ни разу не воспользовалась ее детской откровенностью — не дай бог, ничего подобного. Но если у Резников орали-целовались-ссорились-мирились, и от повышенного любовного фона всегда казалось немного слишком жарко, то драматургия любого сюжета в семье Кутельманов была сглаженной, завязка всегда была потаенной, неявной, тихой, и даже кульминация и развязка обходились без резких эмоциональных жестов. Ну не могла Таня заплакать, закричать, хлопнуть дверью, это было все равно что на глазах у мамы пуститься в пляс посреди кухни или заорать во все горло «а-а-а!..».

Что бы это ни было — беспомощность и боязнь постоять за себя или умение оставаться в рамках семейных правил, Таня, вернее — ее оболочка в лакированных туфлях, послушно последовала за Левой в школу для гениев. Теперь она, дочь своего отца, внучка своего деда, будет организовывать свой ум в абсолютно чуждом ей месте.

Дети ушли, а взрослые остались доругиваться.

— Какая гадость! Как вам не стыдно! Бедная Танька!.. Она же человек, не кукла!

— Это не я, это она... Это Фаина.

Слова закоренелого двоечника из уст профессора Кутельмана звучали странно, и странным было виноватое выражение лица, с которым он смотрел на Илью, воинственно наступавшего на своего бывшего научного руководителя.

— Это же чушь собачья — по блату в матшколу! Фаинка! Давай я тебя по блату отдам в балет! — кричал Илья. — Ребята, я вас не понимаю!

— А я тебя, Илюшка, не понимаю! — Фаина, стройная, слегка полноватая в бедрах, шла к ним по коридору, чуть переваливаясь. Илья фыркнул, представив ее в балетной пачке. — Почему тебе нужно изменить акценты?! Это не блат, а справедливость! Танин дед — профессор Кутельман, ее отец — профессор Кутельман, они своим трудом заслужили для нее право учиться в этой школе. Таня — не Лева, она человек более чем средних способностей. Мы обязаны помочь ей получить образование. А эта школа даст ей возможность поступить в технический вуз.

— О-о! Ну, давай, испорти ей жизнь! Узнаю старую песню! Институт — диссертация! — бешено заорал Илья. — Вам нужно всем испортить жизнь!.. А хотите анекдот? По Дерибасовской идет еврейская мама, ведет за руки двух мальчиков. Встречает знакомую, та говорит: «Сара Абрамовна, какие у вас милые крошки! Сколько им лет?» «Гинекологу шесть, а юристу четыре». ...Фаинка, ты же не Сара Абрамовна с Дерибасовской, ты же культурный человек! Отстань от ребенка! Танька не хочет всего, что ты для нее придумала.

...Фаина не рассмеялась, дернула плечом — значит, через «не хочу». Все лето она убеждала Кутельмана договориться, чтобы Таню взяли в десятый класс знаменитой физматшколы: «Твое имя открывает все двери, ты никогда ничем не воспользовался, это не стыдно, это для ее будущего». Вчера, улучив минутку между «леткой-енкой» и вручением подарков, прошептала: «Фирка, поздравь меня, ее берут». Фира сказала: «Ну, слава богу, поздравляю». И почувствовала, что в ней шевельнулся гадкий червячок. Лева пришел в эту школу с дипломом победителя городской олимпиады, лучше всех сдал вступительный экзамен, и то все волновались — еврей, вдруг не возьмут... И это — пойти и договориться — обидно снижало Левины достижения, Левину уникальность. У Фаины есть все, но зато у нее — Лева, Левина математика, *Левина школа*, пусть Левино останется только Левиным! Можно сказать, что Фира почувствовала себя как бедняк, у которого богач украл единственную овцу.

— И-люшка, — с нажимом сказала Фира, улыбнулась снисходительно, и Илья по-детски надул губы — обиженный, он был еще красивей.

— Фирочка, прости. — Илья шутовски поклонился. — Я забыл, я же не имею веса в нашей семье, как будто я тебе не муж, а старший неудачный сын.

Фира опомнилась, приструнила своего червячка, сказав себе: «Ты с ума сошла, глупо и недостойно соревноваться детьми!»

Первое сентября было той чертой, за которой наступила другая жизнь, начался *другой* Лева, и начались Фирины мучения, как будто Бог воздал ей за гордыню. ...Неужели Бог воздал ей за гордыню?

# ДНЕВНИК ТАНИ

*1 сентября*

Сегодня, 1 сентября, я полностью деморализована, как немцы под Москвой в сорокаградусные морозы. Это не кощунство, а максимально точно выражает мое состояние.

Но если это все-таки кощунство, то я деморализована, как Незнайка на Луне. Где все чужое, непонятное, страшное.

У них по стенкам развешаны портреты победителей олимпиад, и Левин портрет тоже висит. Почему бы им не повесить портреты русских писателей, как в нашей школе на Фонтанке? Как будто в жизни ничего нет, кроме математики! На переменах ходила по коридору, снизу вверх смотрела на портреты. Стояла под Левиным портретом. Идиотка на фоне великого человека.

СТРАШНО! Мне страшно!

Такой страх я испытывала в первом классе. Но тогда у меня хотя бы было утешение, я все время трогала ключ от дома, висящий на шее под школьным платьем, и мне казалось, пока ключ на мне, еще не все потеряно, у меня есть дом. А теперь я взрослая, и ключ от дома меня не спасет.

Лева опекал меня, как малышку, которую отдали в новый детский сад. Со всеми меня знакомил, говорил: «Это моя подруга, она мне как брат». Все смеялись, смотрели на меня с интересом.

Но после уроков он куда-то исчез, и из школы я вышла одна. И кто бы мог подумать, кто встречал меня во дворе? Может быть, мама, которая растоптала мою жизнь? Нет, мама на работе. Может быть, папа, который перечеркнул мою жизнь? Нет, папа в университете.

Дядя Илюша! Моя единственная близкая душа в этом жестоком мире.

Схватил меня, как птица своего подраненного птенца, и принялся гладить по голове. Я плакала, а он шептал какую-то успокаивающую ерунду: «Танька, ты остроумная, ты смешная, ты умная, ты особенная...» Неужели я такая?.. Мне-то кажется, что я жалкий червяк.

«Я знаю, как тебя утешить», — сказал дядя Илюша. И повел меня в «Сладкоежку» на Литейном. Из всех наших только мы с ним до смерти любим сладкое.

В «Сладкоежке» дядя Илюша расплачивался у кассы, а я взяла поднос и стала искать свободные места. Хотела сесть за столик, где сидел один старый человек, ветеран войны, у него на пиджаке медали и ордена. Дядя Илюша каждый год 9 мая водит нас с Левой смотреть шествие ветеранов по Невскому. Я плачу, когда идут ветераны, они такие старые, и с каждым годом их идет все меньше. Дядя Илюша отворачивается, чтобы мы не видели его лицо, но я знаю, он плачет.

— Садись ко мне, — позвал меня женский голос. Это оказалась Мариночка.

Я познакомила ее с дядей Илюшей: «Это папа Левы Резника, а это Левина и теперь моя учительница английского». А как ее зовут, забыла. В классе ее называют Мариночка. Она не очень пожилая, ей лет тридцать. Милая, тонкая, понимала, что я стесняюсь, и не спрашивала меня на уроке, только улыбалась мне.

Наш дядя Илюша красивый, как киногерой. Внешность — как будто он из фильма «Три мушкетера», или «Фанфан-тюльпан», или «Анжелика», а весь его облик как будто из французского кино 60-х, такой одинокий интеллектуал-бунтарь в черном, курит, слушает Жака Бреля.

— ВашЛеваВашЛеваВашЛева... — скороговоркой произнесла Мариночка.

Мариночка внешне обычная мышка, когда мышку знакомят с киногероем, она смущается и краснеет и начинает разговор на близкую киногерою тему.

55

— Мы все были так расстроены, не представляю, как вы это пережили...

— Мы пережили, — мужественно сказал дядя Илюша. — Моя жена вообще отнеслась к этой истории философски...

— Женщины легче переносят разочарования, чем мужчины, — понимающе кивнула Мариночка.

Пирожные в «Сладкоежке» вкусные, особенно корзиночка с кремом, хотя я больше люблю картошку из «Севера».

— Для школы большая честь, когда наш мальчик так хорошо выступает на всесоюзной олимпиаде, — сказала Мариночка. — Лева рассказывал, как мы его встречали? Собрание в актовом зале, поздравления директора. «Резнику выпала честь представлять Советский Союз на международной олимпиаде в Вашингтоне. Мы уверены, что Резник не подведет свою страну и свою школу...» ...Ребята аплодировали стоя. Мы все надеялись, что Лева поедет в Вашингтон... Это звучит как «на Луну», правда? И вдруг он не включен в команду!

Дядя Илюша пожал плечами. Мы не говорим об этом с посторонними.

Разве можно передать словами счастье и возбуждение, в котором мы жили! Лева приехал с победой! Отличные баллы, второе место! Сам академик Колмогоров пожал ему руку! Лева поедет в Америку! В АМЕРИКУ! Неужели это происходит с нами?!

Разве можно передать словами наше горе, когда в последний момент его не взяли? Сказали, что его документы потерялись. У всех документы готовы, а у него потерялись!..

Дядя Илюша кричал «подлая страна!», кричал, что ненавидит эту страну и уехал бы отсюда, отряхнув прах со своих ног. Дядя Илюша кричал, а папа молчал, целую неделю ни с кем не разговаривал.

— Разве можно Леве Резнику представлять нашу страну в Америке? — сказал дядя Илюша.

Мариночка улыбнулась своей милой, застенчивой, совсем не учительской улыбкой, и кивнула:

— Я не хотела об этом говорить, но понятно, в чем причина...

Ей понятно, но она не скажет вслух. «Резника не взяли в команду, потому что он еврей». Не пускать еврея на олимпиаду стыдно, а произнести слово «еврей» нельзя. Вот какая у нас лицемерная страна. В ней живут притворюшки тети-хрюшки. Я тоже стесняюсь говорить «еврей». Мне нужно потренироваться говорить «я еврейка». Независимо — «я еврейка». Гордо — «я еврейка».

Дядя Илюша заулыбался, распушился. Рассказал Мариночке историю своего друга, ученого, которого избрали иностранным членом Лондонского королевского общества.

— Жена отвела его в ателье, и там ему сшили фрак для церемонии заседания королевского общества. И где, вы думаете, этот фрак? Висит в шкафу. Его не пустили. Не фрак, конечно, а моего друга.

— Это мой папа. Это ему сшили фрак, фрак висит у нас в шкафу, — сказала я. Специально перевела внимание на себя. Слишком уж дядя Илюша распушился.

Мариночка ему понравилась. Откуда я знаю? А просто уши нужно иметь. И глаза. Он был со мной, и взгляд у него был потухший, а когда увидел Мариночку, на него как будто живой водой прыснули. Обычная жизнь кажется ему рутиной, а когда вдруг что-то новое блеснет впереди, жизнь вроде бы уже не такая скучная.

Он-то ей точно понравился, разве может не понравиться красавец, как будто из французского кино.

А если бы это было кино? В кино не может быть случайной сцены, в которой мужчина и женщина поговорят о талантливом ученике и разойдутся, в кино у них начался бы роман.

Дядя Илюша и Мариночка разговаривали, а я придумывала про них кино. Как они потом встретились. Случайно? Или он пришел за ней в школу? Или он просто сказал ей «дайте мне ваш телефон», когда я отвернулась? Как она дала ему понять, что он ей понравился? Использовала какой-то хитроумный предлог, как в книгах, например, уронила платок, он поднял, и их взгляды встретились? Или просто попросила дать почитать книгу, посмотреть кассету? Как это бывает у взрослых? Он специально сказал ей, что женат? Чтобы она сразу знала и согласилась быть только любовницей? А чем эта история закончится?

Иногда в кино есть эпилог, например в «Берегись автомобиля». Если нужно сообщить зрителям о том, что произошло с героями после того, как история закончилась.

А если в эпилоге возникает новый конфликт, завязка нового сюжета, то это многосерийный фильм.

Господи, господи, как я люблю многосерийные фильмы!

Потому что — что такое полтора часа, которые идет обычный фильм? Только начнешь жить жизнью героев, а уже конец. Это неправильно. Я бы хотела быть с героями каждый вечер, долго-долго, от детства до старости. До моей старости! Я люблю «День за днем», «Наши соседи», «Кабачок 13 стульев», как будто они мои родственники. Мама говорит, что я инфантильная, что все это смотрят люди, любопытные к чужой жизни, а нужно жить своей жизнью. Я живу своей жизнью!

Вообще-то я живу своей жизнью, но для родителей. Я все сделаю, я из себя вылезу, чтобы учиться в этой школе, чтобы не опозорить маму с папой!

# НОЯБРЬ

## Три сестры

*29 ноября*

— Ты, кило восемьсот! — кричала Алена. — Почему ты?! Мне даже смешно, почему ты!..

— Тебе смешно, а мне обидно, тебе говно, а мне повидло, — хитро улыбнулась Ариша.

Это детское присловье близнецы использовали для ситуаций, в которых каждая боролась за свои интересы.

Девочки родились с разницей в десять минут. Алена — два восемьсот, Ариша — кило восемьсот, и те десять минут, которые Алена уже орала и требовала, а Ариша провела в утробе, стали подтверждением Алениного главенства навсегда. Влюбленный в Аришу Виталик Ростов однажды сказал: «Килограмм младенческого веса не может быть — пардон за дешевый каламбур — самым весомым аргументом в спорах. Борись за свои гражданские права, Ариша!» Здесь, как в каждой шутке, была только доля шутки, — Виталик обижался на Алену, ему казалось, что Аришина уступчивость принижает его самого и вместе с Аришей ставит его на второе после Алены место, а изредка, не часто, и самой Арише надоедала ее уступчивость. Алена мгновенно, как чувствительный прибор, регистрировала бунт в самом его зародыше, воспринимая любое несогласие как покушение на свою полную над Аришей власть, и между девочками происходили бурные короткие ссоры, всегда по одному и тому же сценарию. Алена требовала, Ариша огрызалась, Алена наступала, Ариша отползала в сторону — психологически, конечно, отползала, например закрывала лицо руками и оттуда испуганно выглядывала, но не сдавалась. Алена какими-то своими способами выуживала ее из психологического укрытия — шантажировала своей любовью, пугала, убеждала, что в Аришиных же интересах уступить, а убедив, утешала, жалела, обнимала, покачивала на груди, наслаждаясь тем, что Ариша снова в ее власти, и... А что еще? Все. Алена, конечно, вела себя как хитроумный тиран, как всякий тиран, уверяла, что тиранит окружающих якобы ради их пользы, хотела Аришиной любви до последнего, до полного погружения, но близнецы — это особая материя, и общепринятые моральные нормы здесь ни при чем. Ссора обычно занимала минут пятнадцать-шестнадцать, не больше.

Сейчас все происходило не по сценарию. Близнецы упоенно ссорились уже час без всяких признаков того, что Ариша собирается уступить. «Я, я!..» — возмущенно кричала потерявшая терпение Алена, возвышаясь над сгорбившейся на кровати Аришей. Нина в споре не участвовала.

Девочки занимали две смежные комнаты. В спальне вплотную друг к другу стояли две кровати, Аленина и Аришина, и Нинин диван. В смежной комнате, которую в шутку называли «классной», как в институте для благородных девиц, стоял секретер, в первый же день Нининого пребывания у Смирновых разделенный на троих, — в нем давно уже все смешалось, Аленины записки от мальчиков, Аришины листочки с переписанными из книг стихами, Нинины школьные тетрадки, — и круглый стол, за которым все трое делали уроки. Сейчас Нина за ним готовилась к контрольной по химии, прикрыв глаза, повторяла про себя: «Серная кислота взаимодействует с металлами, стоящими в ряду напряжений до водорода...»

— Ну, Алена, пожалуйста... Мне это правда важно... Почему всегда ты?! Нина, скажи ей!.. Нина, ну скажи ты ей!.. — продолжала защищаться Ариша, и Алена энергично махнула рукой в Нинину сторону, что означало «попробуй только!».

Нина встрепенулась — звонок.

— Пришел, чего сидите, — бросив ручку на недописанном «$4Zn + 5H_2SO_4 = 4ZnSO_4 + ...$», сказала она.

Было семь часов вечера, а Он никогда не появлялся дома раньше десяти. Почему Он так рано пришел, что случилось?

— У лифта кот сидит, дать ему колбасы, что ли?.. Где все? — спросил Андрей Петрович, отряхивая снег.

Снегопад был такой сильный, что за несколько секунд, пока он шел от машины к подъезду, ондатровая шапка успела превратиться в снежный ком.

В семье Смирновых была милая традиция: каждый вечер, если, конечно, Смирнов не возвращался слишком поздно, семья встречала его, выстроившись в прихожей, и уже через несколько секунд после того, как он входил в дом, Смирновы представляли собой чудную скульптурную группу в стиле соцреализма: Ольга Алексеевна, красивая, царственно медлительная, с тапочками мужа в руках, Смирнов с плывущими от нежности глазами, на нем девочки, — Алена бросалась на отца с разбега, как будто брала штурмом гору, облепляла его руками и ногами, Ариша струилась в его руках нежным ручейком. Все — и Нина. Нине, конечно, невероятно, нечеловечески повезло: она могла бы быть воспитанницей подмосковного детдома, а она была дочкой секретаря райкома, третьей сестрой Смирновой.

Прошло шесть лет с той ночи, когда Ольга Алексеевна привезла одиннадцатилетнюю Нину домой и, уложив ее спать, металась в ночных страшных мыслях, перечисляла одно за другим, почему она поступила неправильно, почему никак нельзя было Нину удочерять. Три причины, три: возможный наследственный алкоголизм — раз; будущие претензии на жилплощадь — два; откроется то, страшное, и тогда Андрею Петровичу конец — три.

...Раз, два, три... Но за шесть лет Нина не запила и никаких иных наследственно плохих качеств не обнаружила, о будущей ее претензии на жилплощадь уже как-то вообще не думалось, а ее опасное родство совершенно точно было погребено в прошлом. Ольга Алексеевна с Нининым присутствием в своей жизни свыклась, смирилась. Мгновенное, в обход всех препятствий, официальное удочерение сыграло в этом не последнюю роль, официальная, без сомнительных нюансов, однозначность Нининого положения — дочь — исподволь оказала на отношение к ней Ольги Алексеевны то же влияние, какое оказывает на живущую вместе пару штамп о браке в паспорте — казалось бы, какая разница, есть штамп или нет, но всем известно, что разница все же есть.

Личное дело Нины сгорело в школьном пожаре. Пожар сопровождался такими драматическими обстоятельствами — Аленин ожог, сгоревшее школьное знамя, что никто не заострил внимания на главном вопросе: а зачем, собственно, Алена с Левой оказались вечером в кабинете завуча?! Гораздо проще было рассуждать о причине пожара, хотя и тут все молчаливо сошлись на самом простом — «дети играли со спичками». А как именно «играли» — курили, казнили знамя или еще как-нибудь шалили — неважно. И уж тем более никто не заподозрил, что дети жгли не понравившиеся им документы.

Никто не связал исчезновение Нининого личного дела с пожаром, личное дело, сожженное Аленой, восстановили. Но если в старом личном деле настоящая фамилия Нины была зачеркнута и сверху написано «Смирнова», — вот такая простодушная небрежность органов опеки, — то новое выглядело безупречно: Смирнова Нина Андреевна, мать Смирнова Ольга Алексеевна, отец Смирнов Андрей Петрович.

Ольга Алексеевна радовалась — это было окончательное заметание всех следов, отыскать связь между Смирновыми и Нининым прошлым теперь невозможно, да и было ли оно, это прошлое, а может быть, просто приснилось?.. Все способствовало всеобщему благодушию, благочинности, благолепию, как говорила Ариша — «мир, дружба, жвачка».

И главное — все к Нине привыкли, она заняла свое место в семейном обиходе, стала неотъемлемой частью «всех». Вместе со всеми встречала Андрея Петровича, всегда стояла в отдалении, не приближаясь, глядела на него и немного в сторону — чтобы не навязываться, чтобы он не подумал, что она нагло претендует на его внимание наравне с родными дочерьми.

— Где все? — готовясь рассердиться, переспросил Андрей Петрович.

Как хорошо было, когда девочки были маленькие! «А что вы сегодня по музыке выучили?» — спрашивал Андрей Петрович, и Ольга Алексеевна в ответ тоном успешного дрессировщика: «А сейчас девочки тебе сыграют», и те, как послушные котята, радостно мяукали: «Мяу, мяу, пусик, сыграем!», и Смирновы пили чай под Аленины и Аришины по очереди этюды Черни, и было им счастье...

Встречать отца, собираться всем вместе за вечерним чаем, музицировать, даже если это всего лишь этюды Черни из первой тетради, — напоминает и о дворянском размеренном быте, и о крестьянском — отец пришел, кормилец. В общем, куда как мило.

Теперь же все чаще нарушался прежний милый порядок. Смирнов все позже приходил с работы, и как назло, в те редкие вечера, когда Смирнов возвращался с работы рано — «рано» было около десяти вечера, Алены с Аришей не было дома. Обе легко нарушали строго-настрого декларированное «после восьми из дома ни ногой», причем делали это совершенно в той же манере, в какой прежде кидались к отцу: Алена с разбега, — крикнув «ухожу!», Ариша, просачиваясь ручейком, — «мамочка, я на минутку».

Смирнов вообще-то не разрешал!.. Не разрешал, не позволял, не велел вывесить на доске объявлений изменение в приказе по внутреннему распорядку в своем доме!.. Не застав дочерей, Смирнов мрачнел, кидал на Ольгу Алексеевну требовательный, страшно звероватый взгляд — *где?*.. Ольга Алексеевна, не оправдываясь — не царское это дело — оправдываться, — неторопливо, с достоинством лгала: «Девочки делают уроки у Тани Кутельман».

С Андреем Петровичем у Ольги Алексеевны была своя тактика — не волновать, не обострять, не жаловаться, смягчать, замалчивать, проще говоря, ее тактика была такая же, как у миллиона женщин, имеющих обычных, не номенклатурных мужей, — от благородного намерения «скрывать все, что может его расстроить» до лукавого «на всякий случай скрывать *все*». Ольга Алексеевна немного стеснялась перед собой, немного сердилась — не на мужа, а так, в воздух, — ей, одному из лучших преподавателей кафедры марксизма-ленинизма, доценту, известному своей строгостью всему институту, приходится выкручиваться и лгать!..

А что можно поделать с семнадцатилетней Аленой с темпераментом, как у питбуля? Или как у бойцовского петуха. Или как у юных героев революции, не дай ей бог, конечно. На любое «куда идешь?» и «когда придешь?» Алена сверкала глазами так, что искры летели, — «у меня своя жизнь!», и даже интерес к себе, не контроль, а интерес, воспринимала как покушение на свою драгоценную независимость.

А что можно поделать с нежной хитрюлей Аришей? Между прочим, Ариша ничуть не более легкая выросла девочка, тихая-нежная, но все время что-то прятала, еле слышно шептала-секретничала по телефону, и упорства в характере не меньше, чем у Алены, утекала к своим «несчастненьким», как вода между пальцами... Следуя мудрому правилу «хочешь сохранить лицо, сохранить видимость власти — не нарывайся», Ольга Алексеевна предпочитала не давать девочкам повода напрямую ее ослушаться, старалась с Аленой не ссориться, Аришу не обижать.

Но конечно, было очень беспокойно. У девочек уже была своя жизнь, у Ариши «несчастненькие», у Алены... О-о, у Алены, как подозревала Ольга Алексеевна, «своей жизни» было без меры. Если Аришиных «несчастненьких» она могла назвать поименно, то Аленина «своя жизнь» была для нее тайной за семью печатями. И как ни странно, в семейное устройство лучше родных дочерей вписывалась Нина. С неизменностью кукушки из настенных часов Нина выходила встретить Андрея Петровича, стояла у двери, в зависимости от его настроения отвечая на его взгляд то улыбкой, то просто взглядом «я на месте». Нина выполняла все требования Андрея Петровича беспрекословно, как новобранец, она жила в чужой семье и *подчинялась правилам*, ей и в голову не приходило, что можно не подчиниться. Самой Ольге Алексеевне тоже не приходило в голову, что и Нина может доставить ей неприятности, не только девочки, может создать хоть какой-то, самый крошечный дискомфорт, к примеру, как девочки, опоздать, забыть, придумать сто тысяч оправданий. В сущности, Ольга Алексеевна чувствовала то же, что и ее приемная дочь: Нина живет в чужой семье и должна подчиняться правилам.

Лгать Ольге Алексеевне приходилось часто и разнообразно, иногда она пользовалась предлогом учебы — «завтра контрольная, сочинение, много уроков, девочки у Тани, девочки у Левы», а иногда она отправляла девочек «в театр». Алена с Аришей пропадали у Виталика, Ариша нервно звонила — «еще десять минут», «еще пять...». И Ольга Алексеевна вступала с Аришей в преступный сговор — «больше не звони, просто будьте дома в двенадцать», — чтобы Андрей Петрович не удивлялся, что это у девочек за театр такой, из которого они каждые десять минут звонят.

Но все-таки в невозмутимой лжи этой холодной красавицы было кое-что, отличное от вранья миллионов жен, скрывающих от мужей все, чтобы *не нарваться*. Ольга Алексеевна лгала на научных основаниях, она четко знала признаки революционной ситуации — «низы не хотят жить по-старому, верхи не могут управлять по-старому», — а революционной ситуации в доме не хотелось. Она решила мудро: пусть каждый думает то, что ему приятней, верхи — что управляют по-старому, низы — что живут по-новому, а она останется в самой что ни есть объективной реальности, — ни за что Андрея Петровича ничем не расстроит. А кроме того — Ольга Алексеевна никогда не призналась бы себе в этом — но ей нравилось лгать, нравилось играть в патриархат, нравился их семейный стиль — муж сильный, а она слабая и подстраивается. Властность Смирнова, его мгновенное бешенство были для нее чем-то очень сексуально привлекательным, и ложь была еще одним признаком ее покорности его завораживающей мужской силе.

Так или иначе, в доме сложилась забавно противоречивая ситуация: будучи почти что номинальной фигурой, Андрей Петрович считал, что все бразды правления у него, был убежден, что держит девочек очень строго, а девочки при этом пользовались полной свободой.

— Алена дома, и Ариша дома, — успокаивающе произнесла Ольга Алексеевна, подавая мужу тапочки, мельком погладив его по отекшей к вечеру щиколотке.

— Надо же, дома... — пробурчал Андрей Петрович, — а то я уже привык: одна «у Тани», другая «у соседки»... У одной, понимаешь, лучшая подруга Кутельман, у другой — старая барыня на вате через жопу ридикюль...

Ольга Алексеевна промолчала. Как она могла запретить Алене дружить с Таней Кутельман?.. Что лучшая подруга дочери — еврейка, конечно, плохо. Но все-таки она девочка из профессорской семьи. Ольга Алексеевна эту дружбу защищала: Таня — хорошая девочка, как все еврейские дети, домашняя, начитанная.

— Начитанная-переначитанная, а на хрена? — ответил на это Смирнов, выразив простыми словами сложную мысль, и она поняла его с полуслова, как всегда. Эта излишняя еврейская начитанность, эта нервическая еврейская любовь к культуре и литературе, эта излишняя еврейская утонченность, образованность — не нужно это Алене. Это евреям нужно любить, доказывать, добиваться, знать, а Алене и без того принадлежит все, принадлежит по праву. И Арише, разумеется.

Кстати, именно Таня окрестила Аришиных подопечных «несчастненькими», что-то, кажется, из Голсуорси...

Старая барыня на вате, главная из Аришиных «несчастненьких», жила в их же подъезде на первом этаже. 9 мая Ариша зашла поздравить ее с Днем Победы как блокадницу, но вместо того чтобы просто преподнести открытку и тюльпан, задержалась у нее до позднего вечера... и начала ходить к ней, как на работу. На осторожное неодобрение Ольги Алексеевны — невозможно взять шефство над всеми блокадниками района, есть ведь и своя жизнь, учеба, — Аришино тонкое личико горестно скривилось: «Мусик, у нее все в блокаду умерли, она такая одинокая, весь день сидит в старом кресле с красными бусинками...» Ольга Алексеевна сама чуть не расплакалась. Не из-за чужой женщины, а из-за Ариши. Как она будет жить с такой тонкой кожей, со слезами, каждую минуту готовыми пролиться из-за других, чужих?.. Дальше — больше. Ариша ускользала в коммуналку на первом этаже каждую свободную минуту под странными предлогами, — зачем, к примеру, старушке-блокаднице поздно вечером срочно понадобилось прочитать «Ленинградскую правду»?.. Желание взять под крыло всех несчастненьких, которые попадались на ее пути, уже начинало беспокоить всерьез.

...Андрей Петрович направился в кабинет мимо стоящей у комнаты девочек, как солдатик в карауле, Нины и вдруг, с размаха стукнув кулаком в закрытую дверь, рявкнул ей в лицо:

— А им что, жопу не поднять отца встретить?!

Нина вздрогнула, рефлекторно сглотнула, вжалась в стенку. Она почти не испугалась — она ведь ни в чем не провинилась, ей досталось как бы по доверенности за девочек. Он нервничает. Хочет, чтобы у него дома было так, как он хочет. У него неприятности. Бедный. Все его боятся, все чего-то от него хотят, а кто его пожалеет? На работе его все называют Хозяином, а он — бедный.

У Смирнова было два заместителя, два вторых секретаря, отвечающих один за экономику, другой за идеологию, обоих называли одинаково — зам Смирнова или второй, но самого Смирнова за глаза никто не называл первым секретарем или Андреем Петровичем. В Петроградском районе Смирнова называли Хозяин или Сам, а в райкоме никак не называли, просто обозначали жестом — поднимали указательный палец кверху, показывая на небо, словно Смирнов восседал на небе вместе или вместо Зевса-громовержца. Он и дома был Хозяин: приласкать, потом заорать, приласкать и опять вскипеть.

Матом он при девочках и Ольге Алексеевне никогда не ругался, но какая-нибудь «едрена мать» — запросто, а уж «жопа» и вовсе была его любимым словом на все случаи жизни. Ольге Алексеевне так и не удалось ему объяснить, что это не обычное слово, а грубое.

«А что же мне, «попа» говорить, как пидорасу?» — удивлялся Андрей Петрович. Он в полном соответствии с анекдотом «Что же, жопа есть, а слова нет?» искренне считал, что эта часть тела называется жопа, и даже близнецам, своим нежным цветочкам, на слишком вычурное, по его мнению, украшение мог сказать «ты еще перо в жопу вставь».

73

Елена Колина

Но ведь дело не в словах, тон делает музыку. Раньше, до Алениного ожога, Смирнов никогда не раздражался всерьез, и в самом грозном оре тон был нежным, но теперь все чаще в его крике была не затаенная нежность, а самые обычные раздражение и обида. Не то чтобы Андрей Петрович изменился — как может измениться давно достигший своей конечной формы человек? Но до Алениного ожога было одно, а после ожога совершенно другое. Прежде он был как бы един в двух лицах: на работе жесткий, грубый, для девочек расплывающийся от нежности, а стал для всех одинаковый — один в одном лице.

— Можно накрывать на стол? — спросила Нина.

Она вовсе не была в семье Золушкой. Ольга Алексеевна не допускала никакого неравенства, домашние обязанности были честно поделены на троих девочек, но близнецы постоянно нарушали заведенные правила, а Нина нет. Алена нетерпеливо говорила «сейчас-сейчас», Ариша говорила «потом», и получалось, что из всех троих Нина, по выражению Смирнова, первая доставала руки.

— Сейчас переоденется, и придем... — кивнула Ольга Алексеевна.

У Ольги Алексеевны с русским языком были особые отношения. Ее речь, пусть суховатая, не вполне эмоционально окрашенная, была идеально, по-книжному правильной. Она не пользовалась вульгаризмами, не пользовалась даже пограничными, допускаемыми литературными нормами выражениями и считала «плохими» самые невинные слова, например «морда», — нужно говорить «ударить по лицу», а не «дать по морде». Ну, и конечно, любые слова, обозначающие сексуальные действия и желания, были неприемлемы. В целом ее речь могла бы послужить доказательством суждению поэта, чьи запрещенные стихи Алена хранила в тайном месте под батареей, — суждению о русском языке как о языке описательном, пуританском, ставящем эмоциональный барьер между словами и явлениями. Это было тем более удивительно, что Ольга Алексеевна была человеком решительным и жестким — в действиях, а в языке, напротив, предпочитала завуалированно описать, нежели четко обозначить.

Студенты знают, что у каждого «препа» свой конек, кто-то не любит коротких юбок, кто-то, наоборот, любит, и так далее. У Ольги Алексеевны, доцента кафедры марксизма-ленинизма Технологического института имени Ленсовета, было два конька — даты и грамотная речь. Она гоняла студентов по датам съездов и постановлений и чрезвычайно строго относилась к речи студентов, поправляла, могла даже понизить оценку за речевые недочеты. Студенты обычно дают таким придирчивым преподавателям злые прозвища, и Ольге Алексеевне по справедливости подошло бы любое — «мегера», «карга», «зануда», но у нее прозвищ не было, красивым женщинам прозвищ не дают, а Ольга Алексеевна в свои чуть за сорок была красива и величава, как царевна-лебедь.

Ну, а дома звучало «жопа с ручкой», «козлина», «мудила»... бесконечно. В том, что Ольга Алексеевна мирилась с простонародными языковыми привычками и отчасти даже умилялась, наверное, сильней всего проявлялась ее любовь к мужу.

... — Сейчас переоден*ется*, и прид*ем*...

...Но как человек с безупречно грамотной, даже излишне правильной лекторской речью может произнести такую странную, несогласованную фразу «переоденется, и придем»?

Тайная подоплека Нининого удочерения на удивление четко отразилась в домашней речевой стилистике. Нина никак к своим приемным родителям не обращалась, ни «мама»-«папа», ни «тетя»-«дядя», ни по имени, никак. Называть Смирновых тетей и дядей ей не разрешили, мамой и папой не предложили, а подумать о том, чтобы назвать Ольгу Алексеевну и Андрея Петровича мусиком и пусиком, как девочки, мог только умственно отсталый.

Но ведь это что такое, когда никак не называешь — человека, предмет, явление? Некоторые племена никак не называли свое божество — тот, кого нельзя назвать, внушает огромный страх, мистический ужас. А в современном контексте это означает отверженность: человек, никак не называющий своего собеседника, подсознательно не считает себя состоящим с ним в каких-либо отношениях. Получается, у Нины была психологическая травма, которая не снилась и Фрейду.

Но Нина об этом, конечно, не думала, не сожалела, не страдала, просто жила с тем, что есть. В начале своей жизни у Смирновых могла простодушно сказать «где у вас ножницы?» или «у вас красиво», но в ответ встречала напряженный взгляд Ольги Алексеевны. Никто не должен интересоваться Нининым прошлым, она Смирнова, и точка; по глубокому убеждению Ольги Алексеевны, люди будут молчать о том, о чем им велено молчать... Сказать посторонним «у нас дома» Нина могла, хотя всегда ощущала при этом мгновенный внутренний укол, а вот сказать дома «у нас», «наше», «у нас красиво» или «наша машина» — нет. Не выговаривалось.

Нина не говорила «у нас», не обращалась к своим приемным родителям ни на «ты», ни на «вы» и в этой своей тактичности достигла такой лингвистической изощренности, что почти любое содержание могла выразить в безличной форме. «Пить чай?» — спрашивала Нина, кивая в сторону кабинета, — имелось в виду, будет ли Андрей Петрович пить чай. Ольга Алексеевна отвечала ей в той же манере неопределенности: «Сейчас придет». Обоюдные грамматические ухищрения помогали избегать опасных определений, кто кому кто.

...Надо сказать, Ольга Алексеевна блестяще преуспела в своем насилии над действительностью. Когда она запретила девочкам хоть словом упоминать, что Нина приемная, Алена насмешливо поинтересовалась: «А как же люди?..» «Это неважно», — ответила Ольга Алексеевна. Как историк партии она знала: пусть думают что угодно, во что велено, в то и будут *искренне* верить. Самой Нине, конечно, этот запрет «никогда-никому-ни-слова» вышел боком, *большим боком*, из-за этого она ни с кем близко не дружила. А как дружить? Все знают, что ее удочерили — не родилась же она в семье Смирновых одиннадцатилетней, но в разговоре с ребятами ей невозможно было сказать «мама», «папа», приходилось ловчить, изобретать разные формы и, главное, говорить о том, кто она и откуда, — нельзя. Есть же вещи, о которых не говорят: что люди ходят в туалет или откуда берутся дети. Кто она и откуда — было из того же разряда, из стыдного.

...Девочки вошли в кухню и, встав по обеим сторонам от стула Андрея Петровича, принялись взывать к отцу, как малышки-детсадовки.

— Пусик, почему Ариша?! Я пойду в «Европейскую»! Там девочка из Манчестера!..

— Пу-усик, ну почему всегда Але-ена?..

Алена вытаращила глаза, пихнула Аришу локтем — нет, я!

Андрей Петрович посмотрел в одну точку, куда-то между Аленой и Аришей, и распорядился:

— Доложить по порядку. При чем тут «Европейская», при чем тут девочка из Манчестера... В огороде бузина, а в Киеве дядька...

Аленина-Аришина учительница английского работала по совместительству в Доме дружбы, мечтала перейти туда на полную ставку, и программа «Ленинград — Манчестер» была ее дебютом. Девочка из Манчестера была при том, что в рамках программы выиграла на конкурсе русского языка поездку в Ленинград с проживанием в лучшей гостинице Ленинграда — «Европейской». Девочка два дня не выходила из номера. Роскошь и декадентская атмосфера «Европейской» так подействовали на девочку из рабочего города Манчестера, что переводчица не смогла даже вытащить ее из номера на завтрак в ресторан. Учительница английского была в панике — девочке срочно требовалась русская подружка, которая привела бы ее в чувство и заставила ездить на экскурсии по программе, а иначе — международный скандал и по меньшей мере увольнение учительницы из Дома дружбы. Подружка нужна была уже завтра, но не может же стать компаньонкой английской девочки первая попавшаяся непроверенная школьница! А вот дочери первого секретаря райкома могут! Их отец — это как бы гарантия их качества, заменяющая утверждение кандидатуры в райкоме.

Учительница выбирала между Аленой и Аришей — обе девочки собираются на филфак, английский у обеих блестящий, — и выбрала Аришу. Ариша с ее природной склонностью опекать будет лучше чересчур красивой и бойкой Алены, которая сама достаточный стресс для робкой английской девочки.

— Все ясно. Алена, перестань клянчить! Учительница отвечает за программу, она выбрала Аришу, ты должна уважать ее выбор, тут двух мнений быть не может. Человек должен уметь адекватно оценивать обстоятельства и себя в этих обстоятельствах, — подытожила Ольга Алексеевна.

— Олюшонок, сдуй трибуну, — проворчал Андрей Петрович.

Андрей Петрович, поймав ее на преподавательских интонациях, говорил, что она общается с девочками как со своими студентами, что она изменилась. Ольга Алексеевна обижалась, ей казалось, что то, что по-научному называется «профессиональная деформация», не имеет к ней отношения, что она всегда была такая, как сейчас, словно река — течет, и десять лет назад текла, и двадцать.

— Нет, я пойду, пусик, я, я!.. Пусик, ты что, не слушаешь?! — упрямо начала Алена, и Нина, не проронившая за все это время ни слова, посмотрела на нее сердито — зачем она пристает, неужели не видит?! Неужели не видит, как ему плохо?.. Случилось что-то очень плохое. Бедный, никто его не пожалеет, девочкам от него всегда что-то нужно: внимание, деньги, новые тряпки...

— Алена, давай чуть позже, пусть пусик придет в себя. — Ольга Алексеевна подошла к мужу, прижала его голову к груди, начала поглаживать, медленно массируя голову, шею, привычно тревожно отметив про себя: тяжелый затылок, плотная красная шея, апоплексическое сложение, риск инсульта... — Мы будем в кабинете. Нина, проследи, чтобы девочки нам не мешали.

— Алена, Ариша, идите, идите уроки делать... А я тут уберу, я уже уроки сделала... — сказала Нина девочкам и настойчиво и строго повторила: — Ну?!

Иногда такое случалось в воскресный день — средь бела дня они вдруг хотели остаться наедине. Когда его взгляд останавливался на Ольге Алексеевне настойчиво, а на девочках рассеянно, значит, у них с Ольгой Алексеевной будет любовь. Нина всегда чувствовала, когда у них будет любовь и когда только что была. После любви Ольга Алексеевна была по-особому кокетлива, а Андрей Петрович по-особому благодушен и расслаблен.

Нина вовсе не была развратной. Она почти не думала и не говорила о сексе, в отличие от девочек, которые думали и говорили об этом много, Алена ужасающе подробно — Ариша поэтично. Для Нины это была часть жизни, с которой она была хорошо знакома. Мама говорила «это хороший дядя, он нас любит», просила ее уйти на часок, пообещав, что по возвращении Нину будет ждать подарок, но дядей было много, а подарка никогда не было. Каждый раз Нина уходила с надеждой, не на подарок, на мамино счастье, — если Нина уйдет, между ними будет «это», отчего дядя полюбит маму и они все вместе будут жить счастливо. ...Все, что Нина успела увидеть в своей прошлой жизни, означало: женщины надеются получить за секс хорошее отношение, но их надежды никогда не оправдываются. Собственный опыт еще больше укрепил ее в этой мысли. Нина не считала изнасилованием то, что произошло с ней на вечеринке у Виталика, ведь она не кричала, не сопротивлялась, а сам факт, что она *не хотела*, не вызывал у нее ни возмущения, ни горечи — мало ли кто чего не хочет. Горечь вызвало его полное к ней равнодушие. Она как-то встретила его во дворе — ее на вечеринки больше не звали, а он шел к Виталику, поздоровался, вежливо стараясь припомнить ее имя: «Привет... э-э... Ира». В сущности, она была полностью готова к этой горечи, к пониманию — секс нельзя обменять на любовь и даже на то, чтобы запомнили твое имя. Так что к теме секса Нина относилась без пристального интереса, ее не завораживала ни запретность, ни поэзия, суть сексуальных действий и их *практический* смысл были ей известны, и к ней лично все это не имело никакого отношения.

Но сейчас Нина ошиблась, Ольга Алексеевна спешила остаться наедине с мужем вовсе не для супружеских ласк. Андрей Петрович был чем-то сильно расстроен.

Закрывая дверь кабинета, Ольга Алексеевна не спрашивала хлопотливо — что у тебя случилось, что?! Он знает, что она может дать хороший совет, и всегда рассказывает ей все, и сейчас расскажет. Он потому с ней и советовался, что она здравый человек, а не квочка. Ольга Алексеевна молча гладила его по голове, шее, лопаткам и считала про себя «раз, два, три, четыре...», улыбаясь тому, что она обращается с ним, как с дрессированным медведем. Но что есть привычка к откровенности, как не привычка, воспитанная ею, выдрессированная, много раз проверенная. «...Девятнадцать, двадцать...» На счет «двадцать» он обычно начинал говорить.

— Олюшонок, у меня неприятности, — на счет «двадцать» начал Смирнов.

— Да, — спокойно отозвалась Ольга Алексеевна.

— ОБХСС начал копать торговлю в городе... Сначала вышли на директоров двух универмагов, на базы, и через них — на цеховиков. Ты ведь знаешь, что происходит...

Ольга Алексеевна, член партии, один из лучших лекторов Университета марксизма-ленинизма, конечно, знала.

Еще при Брежневе в октябре партийные круги Москвы и Ленинграда всколыхнул невиданно громкий арест: в Москве арестовали директора «Елисеевского». Дело директора «Елисеевского» в прессе назвали началом решительной борьбы КПСС с коррупцией и теневой экономикой. У народа арест вызвал радостно-мстительное ликование — «прижали торгашей!», а для партийной элиты этот арест означал совсем иное. Дело директора «Елисеевского» было косвенным, но очень сильным ударом по московскому первому секретарю Гришину. При Брежневе партийные работники были неприкасаемыми, тем более партийный работник такого ранга. Все это означало: Брежневу осталось всего ничего и практически правит уже Андропов.

Брежнева не стало, и, став генеральным секретарем, Андропов объявил новую линию: борьба с коррупцией и теневой экономикой по направлениям «торговля» и «подпольное производство — цеховики». Уже было известно, что в цепочке коррупции есть партийные работники, что было совершенно неслыханно, партийную элиту это испугало, — а у Ольги Алексеевны вызвало восторженное одобрение. Единственно неприятным на ее придирчивый преподавательский взгляд было то, что партийная пресса говорила о новом НЭПе, расшифровывая старую аббревиатуру по-новому — наведение элементарного порядка. НЭП — это НЭП, новая экономическая политика партии на основе ленинских работ, принятая в 1921 году X съездом РКП(б) с целью восстановления народного хозяйства. Ольга Алексеевна считала, что заигрывание с терминами принижает великую историю великой страны и, главное, Ленина.

Ольга Алексеевна как-то услышала Аленину болтовню с Таней Кутельман и Левой Резником: Брежнев умер, но режим вечен, борьба с коррупцией похожа на средневековые казни, когда по городу тащат труп, Андропов хочет навести порядок в государстве, но в этой стране перемены невозможны... Рванулась к ним, сказать — как можно так, свысока, «в этой стране»?! И вовремя остановилась — с кем дискутировать? С детьми?! Аленины еврейские дружки за своими родителями повторяют, а те — за всеми якобы интеллигентами, и все это обывательские, кухонные разговоры... Ольга Алексеевна приветствовала новую партийную линию всей душой — партийные работники высшего звена, участвующие в теневой экономике, в системе злоупотреблений и взяточничества, должны понести наказание, как все остальные граждане, по всей строгости закона. Это отвечает ленинским принципам.

Ни малейшего сомнения в честности мужа у Ольги Алексеевны не было. Андрей Петрович ни единого раза не воспользовался служебным положением в личных целях, у них не было ни тайных квартир для девочек, ни антиквариата, ни бриллиантов, ни мехов. Квартира в Толстовском доме, данная государством, госдача в Комарово с казенной мебелью с инвентарными номерами — они могли оттуда просто выйти со своими вещами, казенная «Волга» и сберкнижка, на которой было несколько тысяч рублей, не больше, чем у любого советского человека, а то и меньше. Слава богу, Андрей Петрович чист перед законом и перед совестью, в его жизни есть дело, которому он служит, и блага, положенные ему государством, а больше ни-че-го.

— Мне сегодня доложили: ОБХСС разрабатывает цеховиков у меня в районе. ...Олюшонок! Это ж, понимаешь, в голове не укладывается, на набережной Карповки, можно сказать, под носом у меня — подпольное производство... У них там чуть ли не три цеха в подвалах, станки... или как это, машинки швейные... Трикотаж, понимаешь, они выпускают... Производят-то в подвале, а сбывают через государственные торговые организации, на том и попались.

— Правильно Андропов хочет навести порядок... — сказала Ольга Алексеевна. — Слава богу, что ты абсолютно чистый человек, что ты ни сном ни духом...

— ...Я-то сам лично ни сном ни духом, а район-
то мой... Вопрос будет стоять — «почему допус-
тил?». Можно отделаться легким испугом, строгий
выговор схлопотать. А в худшем случае, с учетом новой линии, — вон из партии. ...Сейчас, в ажиота-
же, и невиноватого могут наказать... — Он не до-
говорил, но Ольга Алексеевна согласно кивнула.

Ольге Алексеевне не нужно было ничего объяснять. Подпольное предприятие находится в подвале дома на набережной Карповки, в Петроградском районе. Это большие неприятности для хозяина района. Никто не посмотрит, что он — ни сном
ни духом. Нет ничего хуже, чем попасть под кампанию, как историк партии она хорошо это знала.
Но одно дело, когда касается других, и совсем другое, когда себя.

«Другими» для Ольги Алексеевны были не конкретные знакомые, а бесконечная череда безликих
для большинства людей партийных деятелей — по-
гибших в партийных чистках большевиков-ленин-
цев. Шахтинское дело, дело Промпартии, дело Со-
юзного бюро... Ольга Алексеевна могла продолжить
список, хоть ночью ее разбуди. «Другие» погибли,
несправедливо, трагично, но существовало объяснение — «ошибки». Для себя никакие объяснения не
работали. Неужели его могут снять ни за что, исключить из партии? Ни за что?! Ни за что — убить?!
Ведь без партии, без работы ему не жить.

— В каком состоянии дело? У ОБХСС пока что есть только информация на цеховиков, или они уже начали следственные действия? — спросила Ольга Алексеевна как юрист.

Ольга Алексеевна была хороша многим, и особенно хороша была бы на войне — в стрессовых ситуациях она ориентировалась мгновенно, и ее не нужно было утешать. Вот и сейчас только Андрей Петрович собрался сказать: «Ничего, Олюшонок, не дрейфь, прорвемся», а она уже знала, что делать.

...У двери кабинета изнывала Алена. Она уже сделала несколько подходов к кабинету, послушала — родители почему-то говорили не о ней. Ей стало скучно, и она отошла, а вернувшись, поняла, что они по-прежнему говорят не о ней, а о каком-то подпольном цехе. Приложив ухо к двери кабинета, Алена возмущенно думала: «Когда уже будет обо мне?!» Она хотела подслушать, кто пойдет в «Европейскую», а не про какие-то пусика скучные неприятности!..

— Давай спать ляжем. Ну и что, что еще нет десяти, мы почитаем и заснем, хоть выспимся один раз, — предложила Ольга Алексеевна.

— Погоди.

Андрей Петрович снял трубку стоящего на письменном столе телефона, набрал номер, коротко поговорил со своим референтом: «...Позвонишь в Дом дружбы, скажешь — Смирнова Алена прикрепляется к этой... как ее там, из Манчестера... Да, все».

— Аришу ко мне, — велел Смирнов, и Ольга Алексеевна в очередной раз восхитилась своим мужем — он целиком поглощен мыслями о подпольном цехе, но держит в голове мелкие домашние проблемы, и в который раз подумала: «Какой он у меня талантливый».

...Ариша сидела на коленях у отца.

— Аришенька, детынька, я тут подумал — я в ваши дела не вмешиваюсь. Ты сама реши, кто пойдет, ты или Алена, хорошо, зайка?.. Ты, конечно, лучше для этой английской девочки, тут учительница права, а Алена... ну, пострадает немного... Ты сама реши, а меня не вмешивай, я устал... — сказал Андрей Петрович и расслабленно прикрыл глаза.

— Ой, какой у тебя толстый живот, тебе надо худеть, пусинька! Ладно уж, пусть Алена идет. — Ариша глубже забралась на колени, обхватив руками его живот, и он, расплывшись от нежности, зашептал:

— Девочка моя, солнышко мое, зайка маленькая...

Ариша слезла с его колен, засмеялась:

— Ну, ты хитрец, пусик!.. Алена подслушивала — ты велел сказать, что она пойдет. Откуда ты знал, что я соглашусь, хитрющий?..

Девочки разлеглись на своем нелепом трехместном ложе: Ариша у стенки, Нина на своей кровати, Алена в центре, чтобы контролировать всех. Спать не собирались, было еще слишком рано, просто валялись и болтали.

— Смешно... Мы только что сами решили, что ты идешь, а он уже позвонил... Смешно, — сказала Ариша.

— Тебе смешно, а мне обидно, тебе говно, а мне повидло, — весело повторила Алена. Как только Алена получала, что хотела, она становилась милой и ласковой, а в данном случае кроме счастливого ощущения победы было еще практическое преимущество — неделя, целая неделя иностранной жизни, вместо того чтобы ходить в школу!

— Хочешь, я тебя утром причешу?.. Локоны можно навить или еще что-нибудь... волосы наверх поднять... — предложила Нина.

Сама Нина причесывалась просто — завязывала хвостик, а Алене с Аришей при случае могла сделать настоящую, как в парикмахерской, прическу. Из этой веселой троицы у нее одной, как говорил Смирнов, руки росли не из жопы.

* * *

В спальне Ольга Алексеевна последовательно приняла от мужа пиджак, брюки, галстук, рубашку, прижала рубашку к лицу и, понюхав, решила, что можно надеть еще раз — несмотря на «городское происхождение», представления о чистоте одежды у нее были вполне умеренные, — подала фланелевую клетчатую пижаму. Дождавшись, когда муж уляжется в постель, накрутила несколько прядей на бигуди, надела ночную рубашку, розовую, как бигуди, с легкомысленной оборкой по вороту, прилегла рядом.

— Ты сказал, что дело на стадии разработки, так?.. Но это информация по твоим каналам, а официально ты ничего не знаешь. Так вот что я предлагаю: ты в рамках новой линии партии высказываешь пожелание проверить райторг. Таким образом, ты в любом случае оказываешься на правильной стороне.

Андрей Петрович посмотрел на нее с нежностью — в этом вся Оля, не ахать, не говорить «как-нибудь обойдется», а решать вопросы по-деловому... Олюшонок — человек жесткий, она предлагает ему зайти вперед ОБХСС и пожертвовать директором райторга. ...Но и он тоже не лыком шит. Он и сам весь вечер об этом думает. Но...

— Он хороший мужик и ни в чем не виноват. Сейчас, когда все бздят и друг под друга копают, он мой... ну, соратник. Что же, мне его сдать?..

Ольга Алексеевна поморщилась от «плохих» слов — «бздят», «сдать», фу, что за терминология такая лагерная...

— Это ты ни в чем не виноват. Я согласна, это трудное решение, даже морально неоднозначное, но ты ведь только натолкнешь, а они пусть разрабатывают. Если он ни в чем не виноват — хорошо, а если найдут даже самые малейшие злоупотребления — ты сообщил о своих подозрениях.

Ольга Алексеевна не сомневалась, что муж со всем справится. Вовремя отказаться от соратника — это черта победителя, а Андрюшонок — победитель.

Андрей Петрович лежал в постели, уютно укрытый одеялом, а Ольга Алексеевна, склонившись над ним, все говорила-говорила, приговаривала... И вдруг Смирнов резко подался вперед и заорал:

— Не вмешивайся! Не в свое дело!.. — И уже спокойно добавил: — Все, иди.

Ольга Алексеевна фыркнула и неожиданным для такой солидной дамы жестом покрутила пальцем у виска, у розовой бигуди.

— Куда мне идти?.. Я лежу с тобой в постели. Ты не в своем кабинете, ты в кровати...

...Смирновы читали, отвернувшись друг от друга, каждый свое. Ольга Алексеевна взяла с тумбочки журнал «Коммунист», подержав в руке, положила обратно, наугад вытянула из стопки тонкую книжечку в желтоватой картонной обложке, на обложке крупными буквами: «XVII СЪЕЗД ВСЕСОЮЗНОЙ КОММУНИСТИЧЕСКОЙ ПАРТИИ (Б)», «Партиздат», 1934 год.

На тумбочке Ольги Алексеевны лежали стенограммы съездов. Материалы I, II, III и VIII съездов в толстом томе, изданном Институтом марксизма-ленинизма в 1959 году. Стенограммы IX, X и XI съездов были изданы до войны, стенограммы XIV—XVIII съездов были почти все «настоящие», изданные последовательно с 1926 по 1939 год, — библиографическая редкость, ну и, конечно, все следующие съезды, до XXVI в прошлом, 1981-м году.

Стенограммы съездов Ольга Алексеевна читала, когда нервничала, читала не только итоги, а все, даже поименно фракции — пока в партии еще были фракции, — так она успокаивалась. Она читала стенограммы и когда хотела себя за что-то наградить, а сейчас она и нервничала, и испытывала приятное удовлетворение человека, упростившего уравнение со многими неизвестными до арифметического действия.

«По отчету Центрального Комитета ВКП(б). Одобрить политическую линию и практическую работу ЦК ВКП(б), а также отчетный доклад товарища Сталина и предложить всем парторганизациям руководствоваться в своей работе положениями и задачами, выдвинутыми в докладе товарища Сталина», — читала Ольга Алексеевна.

Материалы XVII съезда, так называемого съезда победителей, не были ее любимым чтением, от стенограммы XVII съезда она испытывала щемящую горечь — почти все делегаты XVII съезда не дожили до войны, погибли, как про себя договаривала

Ольга Алексеевна, «от руки урода, негодяя». Сталина Ольга Алексеевна ненавидела.

Это было очень личное, не менее личное, чем любовь к Ленину. Ольга Алексеевна не могла проявить свою ненависть на лекциях — говорить со студентами о Сталине было не рекомендовано. То есть нельзя. Она не могла научить студентов ненавидеть Сталина, но хотя бы не давала им возможности узнать о нем больше, чем несколько строчек в учебнике. При мысли, что Сталин оказался в курсе истории партии персоной нон грата, невидимкой, Ольга Алексеевна испытывала мстительное удовлетворение.

— ...Ты послушай, что пишут... — Андрей Петрович повернулся к жене. — В Австрии открыли новые методы трансплантации тканевых структур.

— Ты обещал! Ты обещал больше никогда не читать!.. — рассердилась Ольга Алексеевна, и Андрей Петрович чуть суетливо кивнул:

— Обещал, больше не буду, но ты послушай...

«Больше никогда не читать» относилось к медицинской литературе.

У Алены были обожжены щеки, лоб, шея. Андрей Петрович мог бы без конспекта выступить с лекцией по ожогам. На щеках ожог второй степени. Ожог второй степени поражает эпидермис и сосочковый слой дермы, для него характерны гиперемия, отек, пузыри с серозным содержимым. На лбу и шее — ожог третьей степени. Ожог третьей степени поражает сетчатый слой дермы, для него характерны крупные пузыри с серозным содержимым желтого цвета, эпителизация раны идет за счет неповрежденных дериватов кожи.

Алена пришла домой черная, обожженная, первая машина «скорой помощи» приехала за ней, а следующая, через несколько минут, за Смирновым. Смирнов об этом приступе говорил виновато «что-то я подкачал», как будто сердечный приступ зависел от его воли, но он считал именно так — свалился, как слабак, с сердечным приступом, когда нужно ребенка спасать, стыд-позор! Из больницы он ушел ночью, под расписку.

На щеки врачи велели накладывать повязки с мазью «солкосерил». Сказали, что рана заживет самостоятельно. Но что значит самостоятельно?! Он сам будет лечить, как дома, в деревне, лечили! К Алениному личику прикладывал кашицу из тертой картошки и тут же начинал опять чистить картошку, тереть. Компресс через несколько минут нагрелся, а у него уже готов новый. Новый положил, а сам быстро сок из тыквы выжимать, вымочил марлечку в тыквенном соке, наложил на Аленины щечки... Потом компресс из капусты, потом очень нежно, одним касанием, помазать тонким слоем яичного белка и снова — картошка, тыква, капуста, белок. Сейчас у Алены нежнейшие розовые щеки.

На лбу и на шее у Алены был ожог третьей степени. Искусственную кожу доставили самолетом из Лондона, спасибо начальнику Горздрава, мгновенно отреагировал, как будто это его ребенок обгорел.

Горздрав помог, Бог помог, сделали аутодермопластику, операция прошла нормально. Потом оказалось, дермальный эквивалент кожи и у нас выращивают, в Институте цитологии. Через два месяца после заживления на шее Алены вдруг начали образовываться келоидные рубцы. Рубцы увеличивались, росли. Смирнов каждое утро бросался к Алене с сантиметром — растут! Спустя полгода Аленина шея была с правой стороны нежная, бело-розовая, как щеки, а с левой стороны страшная, сплошной рубец.

Смирнов мог бы надеть белый халат и не хуже любого врача сделать назначения: на место рубцов электрофорез с лидазой, ультразвук с гидрокортизоном, ЛФК, а также иммобилизирующая терапия, растительные препараты — контрактубекс или мадекассол. И добавить: «Патогенез образования келоида на сегодняшний день остается неясным, нарушение синтеза коллагена определяется генетическими особенностями, в настоящее время способов лечения келоидных рубцов не найдено».

Алена уже два года закрывала шею шарфиками, шарфиков у нее было не меньше сотни, а Смирнов все читал и читал статьи о новых методах лечения ожоговых ран.

— Здесь написано про раннюю некрэктомию с последующей аутодермопластикой, — через плечо, не поворачиваясь к жене, сказал Смирнов.

Ольга Алексеевна промолчала. Зачем ему читать статью про аутодермопластику, ведь Алене уже сделали операцию?.. Это было нелепо, вообще читать медицинскую литературу было нелепо! Но он все читал и читал. А раз в месяц ровно в 8.30, перед утренней конференцией, звонил в ожоговое отделение НИИ скорой помощи лечившему Алену профессору Миронову. Она и не знала, что ее муж может так робко запинаться: «Михаил Ильич, извините за беспокойство, это опять Смирнов... Вы не слышали о новых методах трансплантации тканевых структур?.. Да, понимаю, извините. Можно еще вопрос — насчет новых лечебных препаратов, способствующих росту клеток кожи? ...Понял, простите... Но если вдруг что-нибудь, какая-то новая технология для келоидов или лекарство... вы ведь вспомните о нас?..»

— Спокойной ночи, — ясным голосом произнесла Ольга Алексеевна, погладила мужа по плечу. — Ты знаешь, я теперь не жалею, что мы взяли Нину... У девочек уже своя жизнь, а она остается с нами...

— Ты спи, я сейчас, еще про одно лекарство прочитаю, ты спи... — рассеянно отозвался Смирнов. — Ты про кого, про Нину? Да, она нормальная оказалась...

Смирновы не знали, что именно появление этой облагодетельствованной ими девочки повлекло за собой несчастье с Аленой... А если бы знали? Смогли бы они благожелательно смотреть на сиротку, чувствовать удовлетворение от мысли, что, презрев дурную наследственность и страшную угрозу положению Андрея Петровича, сделали хорошее благородное дело? И вот еще вопрос: а если бы *не смогли*?..

— Что ты сказала, Олюшонок, у девочек уже своя жизнь? Как это — своя жизнь?! — вдруг беспокойно вскинулся Андрей Петрович. — Ты это... смотри... Алена особенно... она не должна... то есть она должна...

Ольга Алексеевна вздохнула. ...Андрей Петрович постоянно, ежесекундно боялся, что с Аленой что-то случится. ...Конечно, когда домой приходит совершенно черная, обожженная дочь, солнышко, птенчик, — забоишься. Дом сотрясала его любовь к Алене. Он хотел все о ней знать, даже пытался общаться с ней на сугубо «женские темы». Почему распустила волосы, почему завязала хвостик, почему надела джинсы, девочка должна носить красивые платья, может быть, у нее недостаточно платьев?.. Почему у нее такой усталый вид, почему такой веселый вид, не плохо ли ей и не слишком ли хорошо, что тоже подозрительно. Если бы он мог, он создал бы в доме специальные правила для Алены — всем с посторонними не общаться, а ей смотреть на улице в землю, всем одеваться скромно, а ей в платья до полу... Ольга Алексеевна про себя называла это — помешался на Алене. Аришу Андрей Петрович считал робкой и соответственно более сохранной.

Ольга Алексеевна не поленилась порыться в чудом завалявшемся в институтской библиотеке старом, 1968-го года, учебнике по психиатрии, — ей казалось, что его состояние граничит с болезнью, так, может быть, существуют какие-нибудь таблетки? Как аспирин от головной боли?.. И она действительно нашла названия недугов, подходящих по описанию к его симптомам: невроз навязчивых состояний, обсессивно-компульсивное расстройство. Но это были только лишь названия, никакие доступные способы лечения не были описаны. Ольга Алексеевна понимала, что к обсессивно-компульсивному расстройству присоединился комплекс вины — не уберег. Но от понятности происходящего не становилось легче. ...Алена должна, Алена не должна, не, не... Если бы он мог, он посадил бы ее в банку и любовался через стекло.

— Алена должна, ну, ты сама знаешь, что...

Но Смирнов и сам не знал, Алена — что? Хорошо учиться, любить свою родину и хранить чистоту до брака?

Взрослые и дети Смирновы засыпают, читают, болтают. Все безумно друг друга любят, с Ниной

Елена Колина

только отдельная история. Ольга Алексеевна, балуя себя, читает материалы съезда победителей, Алена читает самую страшную антисоветчину — «Архипелаг ГУЛАГ», прочитала страницу и, раззевавшись, закрыла, спрятала в тайное место под батареей, — смешная Алена, как будто не у всех людей тайное место под батареей. Ариша тоже читает, но не дома, спустилась на первый этаж и читает старой барыне на вате через жопу ридикюль «программу телевизионных передач», отмечая по ее указанию крупными галочками фильмы и концерты. Андрей Петрович, читая про лечение келоидов, принял решение — не прятать голову под крыло, но совету Олюшонка не следовать, разработку ОБХСС взять, директора райторга не сдавать. А Нина уже спит, ей снятся «свойства серной кислоты». $4Zn + 5H_2SO_4 = 4ZnSO_4 + H_2S + 4H_2O$. Спокойной ночи.

# ДНЕВНИК ТАНИ

## 29 ноября

29 ноября — Главное Событие моей жизни! Главное Событие моей жизни произошло на почте на Загородном. Почтовая девушка запечатала бандероль, надписала адрес: «Москва... редакция журнала «Юность», и... и все.

Я упросила почтовую девушку распечатать бандероль и исправила название. И перечитала начало.

Окончательное название рассказа «Моя мама китаец».

Начало рассказа, последний, 23-й вариант:

**О своем уме я слышу всю жизнь.**

**— Это не твоего ума дело... — от папы.**

**— Я думала, ты умный ребенок, стихи читаешь, отец профессор в шляпе, а ты... — от воспитательницы в детском саду.**

**— Ты умная, как тряпка полоумная, — от девчонок во дворе.**

**Глупым легче живется. Чем человек умней, тем он одиночей.**

А вдруг тот, кто будет читать рассказ (редактор, это сладкое слово «редактор»), не поймет, что я написала «одиночей», а не «более одинок» не от неграмотности, что это специальный прием? А название? Название хорошее или противоречит дружбе народов?

К нам домой приводили главу Франкфуртского математического общества. Он приехал на симпозиум и захотел посмотреть, как живут советские ученые. Папе нельзя общаться с иностранцами наедине, поэтому вместе с немцем и переводчиком пришли два сотрудника КГБ с пистолетами. Это я, конечно, шучу, из оружия у них были только уши, чтобы папа не сказал чего-нибудь лишнего.

Сотрудники КГБ пришли заранее, принесли пакет с продуктами: колбаса, ветчина, банка икры, апельсины, чтобы мы могли красиво принять немецкого гостя. А перед самым приходом немецкого профессора кто-то сделал лужу в подъезде, у лифта. Мама сказала: «Надо вытереть». Папа сказал: «Пусть КГБ моет». Мама сказала, что не допустит позора перед немцем, что у нас профессора живут в лужах, надела резиновые перчатки и чуть не плакала, но вымыла.

Немецкий профессор говорил, что через двадцать лет в математике и в музыке будут главенствовать китайцы. Потому что западное воспитание проигрывает китайскому. Основной принцип китайского воспитания: со стороны родителей — строгость, со стороны детей — послушание и принятие всего происходящего со смирением. Пока западные дети сидят у телевизора, китайские занимаются математикой и играют на скрипке.

— Советских детей правильно воспитывают, — сказала мама. — Мы тоже воспитываем в Тане дисциплину и исполнительность. Она окончила музыкальную школу по классу скрипки. Ей нельзя смотреть телевизор, нельзя получать отметки ниже пятерок по всем предметам, за исключением физкультуры и геометрии. Она учится в математической школе... в меру своих способностей. Играет на скрипке в меру своих способностей.

— Но вы жалеете вашу дочь? Хвалите за достижения? Я уверен, что да. А китайцы не жалеют и не хвалят, они ценят силу и считают, что их ребенок станет успешней, если переживет унижение и осуждение.

Я переживаю унижение каждый день в школе. Приходя из школы, я как ошпаренная бросаюсь в свою комнату, вытаскиваю Дневник и строчу. Как Бельчонок из мультфильма, который записывает свои обиды огрызком карандаша, оглядывается по сторонам, куда бы спрятать, и запихивает в носок. У меня тоже нет другого оружия против жестокого мира, кроме огрызка карандаша. Записала свои обиды — как будто выплакалась. Писать и прятать написанное в носок — свойство всего живого.

Без дневника я бы не смогла пережить все ЭТО. Единственное чувство, которое я испытываю каждый день с девяти до трех, это страх. По средам и пятницам до пяти.

Хотя, возможно, я и с Дневником не смогу ЭТО пережить.

Перед началом уроков нужно сдать тетрадь с домашним заданием по алгебре. Это я могу, у меня все списано с Левы. Страшно, что слишком хорошие решения.

На уроках страшно, что вызовут к доске и нужно объяснить, как я решила.

Тут главное следить за взглядом учителя. И вдруг сморщиться и резко поднять руку, как будто мне срочно нужно в туалет.

Поэтому я и не подружилась ни с кем из мальчиков. Как можно завязать отношения с лицами мужского пола, которые уверены, что у меня хроническое расстройство желудка?

Контрольные по математике в этой школе каждый день! Это гнетущий страх, замораживающий кровь! Вдруг Лева задумается и забудет прислать мне решение?

Кроме гнетущего страха — атмосфера. Атмосфера — вот что мне не подходит.

Люди в этой школе делятся на группы:

1. Гении, как Лева. Им нужно решить все другим способом.

2. Способные. Хотят решить больше задач. Им важно, сколько задач кто решил.

3. Обычные. Каждый день слышат: «Вы хотите остаться в школе?» Живут под страхом, что выгонят, и учатся как звери.

4. Я.

Ни с кем из девочек я не подружилась.

Кроме меня никто не списывает. Списать никому не нужно, нужно решить. Как будто это соревнование, как будто если не выиграешь — умрешь! Никто не дает списать (Лева не в счет). Никто не просит списать (я не в счет). В этой школе выводят специальную породу людей, которым важно добежать до финиша, а кто упал по дороге — черт с ним. Эта порода мне не подходит. Мы разные, как жирафы и козявка. Козявка, конечно, я.

Дома не менее страшно, а даже более. Папа забыл, что обещал мне помогать. Иногда он спрашивает, что мы сейчас проходим. Он сердится, что я не могу правильно ответить, бьет тетрадкой по столу, а кажется, что хочет не по столу, а по морде. Мой милый тихий папа. Совершенно вышел из себя, выяснив, что я думаю о теории графов. Но я перевела разговор на Леву, и папа отвлекся. Хитрость — это последнее прибежище человека, загнанного в угол.

Моя система «списать — выскочить в туалет» работает. На родительском собрании меня не ругали. Леву ругали за поведение — он как с ума сошел, а меня не упоминали, как будто меня нет в списке живых. Мама очень мной гордится. Говорила кому-то по телефону: «Таня учится в физматшколе... Да-да, в двести тридцать девятой. Она, конечно, не олимпиадная девочка, но вполне справляется... Да, конечно, у нее все-таки математические гены...»

Ребенок станет успешней, если переживет унижение и осуждение?

Я переживаю унижение каждый день в школе. Я переживаю осуждение от мамы. Когда мое сочинение заняло первое место в районе, мама меня не хвалила. Она сказала: «Не воображай, что это твой успех, это всего лишь школьное сочинение». Когда я хорошо сыграла на концерте в музыкалке, она сказала: «Это всего лишь концерт для родителей в районной музыкальной школе». Она не покупает мне джинсы, а я принимаю это со смирением. Она воплощает во мне свою мечту — математика и скрипка, как будто она прирожденный китаец!

Мой рассказ «Моя мама китаец», мой дорогой рассказ, последний, 23-й вариант, был заново упакован и исчез за почтовой конторкой.

Когда может быть ответ? Может быть, нужно было отправить рассказ в журнал «Мурзилка», а не в «Юность»? Шутка.

Я слышала, что в «Юности» отвечают всем, если отказ, просто пишут «не подходит». Если мне напишут «не подходит», я не перенесу публичного позора. А непубличный позор я смогу перенести. Поэтому никто не знает, что я послала рассказ, даже Лева, даже Алена с Аришей и Виталик. Родители тем более не знают и не узнают никогда, особенно мама.

Когда можно начинать ждать ответа? Когда, когда, когда??????????

Наверное, через месяц или три.

А вечером мы с Аленой вышли из дома (собирались в «Титан» на «Москва слезам не верит», в третий раз) и — ой! Ой-ой-ой! Попали прямо в толпу.

У нас в соседнем доме, на Рубинштейна, 13, в бывшем Доме самодеятельного творчества, куда я ходила на елку, рок-клуб — единственное место в Ленинграде, где можно играть рок. Перед концертами на нашей улице всегда как сегодня, на тротуаре и на мостовой сотни людей, они похожи друг на друга, с длинными волосами и во всем джинсовом, рваном, с заплатами. И милиция.

В этой толпе атмосфера как будто все знакомы, общаются, пьют пиво, поют и радуются. Мне в ухо кто-то крикнул «у тебя билет есть?», я оглянулась — симпатичный парень в рваных джинсах и бесформенном свитере. Я сказала, что у меня нет билета, он сказал «у меня тоже нет» и что приехал на концерт «Аквариума» из Москвы.

«Аквариум»!

Он пропел: «Я пел о том, что знал. Я что-то знал? Но, господи, я не помню, каким я был тогда. Я говорил "Люблю", пока мне не скажут "Нет", и когда мне говорили "Нет", я не верил и ждал, что скажут "Да"».

А я договорила (петь я стесняюсь): «И, проснувшись сегодня, мне было так странно знать, что мы лежим, разделенные, как друзья...»

Алена брезгливо скривилась и прошептала мне: «Он грязный». Да нет же! Не грязный! Если бы Алена ехала ночью в общем вагоне, она бы тоже помялась.

107

Я сказала, что знаю, как ему попасть на концерт — во дворе тринадцатого дома черный ход, через него можно пролезть. Мы же здесь живем, все ходы знаем.

Вдруг кто-то в толпе закричал: «Басиста "Аквариума" повязали!»

Я немного испугалась, — все орут, милиция шныряет со страшными лицами. Милиция начала сгонять толпу на тротуар; все, кто с билетами, стали протискиваться к входу, а безбилетные ринулись во двор, к черному ходу. Он сказал: «Девчонки, увидимся на концерте», — и побежал. У него из кармана выпала согнутая пополам тетрадка. Я ее подняла, но он уже исчез, растворился в толпе, и я осталась с его тетрадкой.

Я хотела отдать тетрадку, и мы с Аленой тоже стали пробираться во двор, к черному ходу. С меня слетел мой любимый длинный шарф, я бросилась за шарфом, но шарф затоптали, и меня чуть не затоптали.

А во дворе мы его увидели! Он лез по водосточной трубе. Долез до второго этажа, толкнул раму и залез в окно. Молодец! Сообразительный! Это окно туалета, из туалета можно попасть в зал.

И все, он залез в окно, а я осталась во дворе, без шарфа и с его тетрадкой. Тетрадка в клеточку, за две копейки.

— Всего-то второй этаж... Ну ладно, я могу и дома послушать, у меня есть «Треугольник» и «Синий альбом», дома даже лучше... — сказал знакомый голос за спиной.

Знаете, кто это был? У черного входа рок-клуба? Возбужденный, как ребенок на елке? Дядя Илюша собственной персоной.

Дядя Илюша чуть не упал в обморок от зависти, что тот московский парень залез в окно. Дядя Илюша ведь не полезет по трубе, ему сорок лет.

Меня поражает широта интересов дяди Илюши. Дядя Илюша любит джаз, Пола Анку, Элвиса Пресли, и Гудмана, и Миллера, любит «Аквариум», ему интересно все, за исключением его диссертации.

Алена ушла, сказала: «Рок — это не мое». Казалось бы, должно быть наоборот ее: рок — это протест, а Алена больше всего на свете любит протестовать. Но это не ее музыка, потому что ее играют и слушают не ее люди. Ее люди по водосточной трубе не полезут. Они даже в очередь не встанут, а пройдут всюду по пропуску.

Алена точно знает, что ее, а что нет. Я, например, тоже не фанат рока, но вдруг это мое? Я про все думаю: а вдруг это мое?

А мы с дядей Илюшей попали на концерт! Алена сбегала домой и принесла нам красную книжечку своего папы, по которой они ходят в театр без билетов.

И нас пустили! Сказали: «Вам на балкон, там сидят представители профсоюзов, партии и комсомола».

Зал был битком набит, в креслах сидели по двое, везде стояли, свисали с потолка! И весь зал свистел, орал, визжал. На балконе все сидели молча, кроме дяди Илюши, он тоже свистел, орал. А потом, на концерте, мы с ним вместе подпевали: «Но я не терплю слова "друзья", я не терплю слова "любовь", я не терплю слова "всегда", я не терплю слов, мне не нужно слов, чтобы сказать тебе, что ты — это все, что я хочу...»

Мы с ним оба умираем от этой песни!

Тетрадку я не отдала. Мы не встретились. Как можно встретиться в такой толпе?

После концерта я принесла Алене красную книжечку. Ее мама, узнав, что я была в рок-клубе, посмотрела на меня привычно печально, как будто я в очередной раз продемонстрировала свою порочную натуру. Она прочитала нам лекцию: мы занимаем первое место в Европе и второе место в мире по объемам производства промышленности и сельского хозяйства. Первое место в мире по производству цемента. Мы экспортируем тракторы в сорок стран мира. У нас 162 миллиона человек обеспечено бесплатным жильем, при этом квартплата не превышает трех процентов семейного дохода.

Ольга Алексеевна спросила:

— Вы гордитесь своей страной?

Мы сказали:

— Гордимся. Конечно, первые места в мире вызывают гордость.

Андрей Петрович молчал и сердито смотрел, а потом сказал:

— В культуре наблюдаются сложности.

Сказал, что рок — это антисоветская деятельность, и рок-клуб на Рубинштейна специально открыли, чтобы контролировать антисоветскую деятельность этой шушеры в одном месте. Что в клубе работает КГБ, они фотографируют и присылают фотографии в институты, и людей выгоняют.

За что, за музыку?!

Я испугалась так, что во мне все затряслось. Что, если мою фотографию пришлют в школу? Тогда я не смогу поступить в институт. Не поступить в институт — самое страшное, что может случиться с человеком. Или я поступлю, или мне не жить.

— Чтобы ноги твоей в этом рок-клубе не было! — заорал он Алене.

Алениной ноги там и не было, была моя.

— Ты завтра идешь к «Интуристу»! — заорал он.

Алена завтра идет в «Европу» опекать англичанку, но при чем здесь рок-клуб?

— Это ее инициатива? — заорал он и кивнул на меня.

Алена злобно засопела и сказала:

— Нет, моя!

Из принципа. У нее принцип — делать как можно больше всего, что нельзя.

Ольга Алексеевна смотрела на Андрея Петровича с упреком, а на меня — как будто извинялась, но я все равно чувствовала себя плохой девочкой, с которой хорошим детям не разрешают водиться. И быстро ушла домой.

Я хотела выбросить тетрадку в урну, не заглядывая, вдруг там политика? Но как выбросить, не заглядывая? Интересно же.

А там стихи.

Стихи. Стихи удивительные, потрясающие, такие, что...

Что можно полюбить человека по его стихам. Он — Поэт.

Это судьба? В один день произошли Самые Главные События моей жизни: я отправила рассказ и встретила Поэта.

Да. Это судьба.

## Господи, за что?

*29 ноября*

Господи, господи, за что, за что мне это?!

Было около десяти, маткружок заканчивался в девять, идти от Дворца пионеров до дома давно подсчитанные восемь минут, но Фира не беспокоилась — Лева часто задерживался, обсуждал с преподавателем задачи.

Десять часов, десять пятнадцать, половина одиннадцатого, — Левы нет. Без двадцати одиннадцать Илья был отправлен на улицу — искать ребенка, бежать по Фонтанке навстречу ребенку... Через пять минут Илья вернулся — на улице дождь, ветер, в такую погоду хороший хозяин собаку на улицу не выгонит, а она его выставила, а он устал...

— На детском концерте ты не устал? — едко спросила Фира.

Она сегодняшнюю удачу Ильи — удалось попасть на концерт «Аквариума» — не оценила, рок — это детская музыка, взрослому Илье увлекаться этим даже как-то стыдновато.

Из прихожей Фириной коммуналки длинный коридор в обе стороны, направо в конце коридора кухня, из нее вход в Левину комнатку-кладовку, а в другом конце коридора, из прихожей налево, комната Фиры и Ильи. Чтобы Фире попасть в кухню или к Леве, нужно пробежать почти что стометровку — 78 метров.

Ждать Леву в прихожей Фира не могла — стыдно соседей, она умрет — не покажет, что в их прекрасной семье может быть то же, что у всех, — небрежный подросток, нервные родители, прижавшися носом к входной двери. Фира бегала из своей комнаты в кухню — туда-сюда, туда-сюда, сколько пробежала за вечер, километр? И как раз, когда была у себя в комнате, боясь взглянуть на часы — уже одиннадцать! — услышала — пришел!..

Лева вошел в прихожую, но не зашел к ней, как обычно, сразу направился в другую сторону, к себе, и Фира не успела еще добежать до него, как он уже — раз, и просочился в свою комнатку, и свет не зажег, — и сразу тихо. На кухне у Левиной двери Фиру поймала за рукав халата соседка, хихикнула:

— Левка-то пришел — ни петь, ни рисовать.

Фира не оценила выражение, смешное и яркое, — просто не поняла, о чем речь. Вошла, — Лева спит, наклонилась — запах, алкоголь.

На полу пачка сигарет. Фира схватила пачку, понесла Илье.

— Что несешь, как собака в зубах? Что морда такая, как будто война началась? Ну что такого, ну выпил, как человек, покурил... Евреи... Все у них проблема, все им надо, чтобы лучше нас, — вслед ей проворчала соседка, совершенно, впрочем, благодушно. Фиру в квартире уважали, и все дети у нее учились — Фиру уважали, а Илью обожали.

Фира неслась по коридору — 78 метров за несколько секунд, личный рекорд.

— Это что? Это — что?.. Это — что?!

— Это? Сигареты «Опал». Подумаешь, сигареты, большое дело... — отозвался Илья. Он был совершенно спокоен и даже отчего-то весел.

— Ах, большое дело? Ах, сигареты?! А твой ребенок пьян!.. — закричала Фира.

Первого сентября в Леву вселился бес. Фира так именно и ощущала, не «в Леву как будто бес вселился», а с указанием точной даты «бес вселился в Леву 01.09.82». Бес хотел одного — чтобы она больше никогда не была спокойна, чтобы ее муки состояли из множества маленьких мучений, вместе представляя собой почти непосильную ношу. Лева был прекрасен, стал ужасен.

Как педагог Фира знала: десятый класс — особенное время. Фирин педагогический стаж большой — около двадцати лет. Почти двадцать лет она повторяла в учительской: «Десятый класс — время гормонов». Но кто мог ожидать, что у Левы наступит половое созревание?! Во всяком случае, не Фира. Изумление — вот, пожалуй, основное чувство, которое Фира испытывала начиная с первого сентября, непрекращающееся изумление человека, изо дня в день спотыкающегося на ровном привычном месте и уже покорно ожидающего подвоха. Изумление — боль — изумление — боль, и покорное ожидание — ну что еще?..

115

— ...Как ты можешь улыбаться, когда твой ребенок пропадает?.. Он, конечно, был у Виталика... Это все Ростов, это его дурное влияние!

— Твой сын не пропадет оттого, что они с Виталиком выпили и покурили... Фирка, не веди себя как дура-училка! Ну, они же мальчишки, выпили портвейна во дворе или коктейль в баре — это нормально.

— Да нет же, нет! С этого все начинается, начинается с плохой компании, с одной рюмки, с первого раза, — горячо шептала Фира. — Виталик и девочки Смирновы — это плохая компания для Левы! У Виталика практически нет матери, богемная среда... Ну, ладно, я погорячилась, Виталик, девочки и кто там еще с ними собирается — обычные дети, но в том-то и дело, что они обычные, а Лева другой, ему все это — нельзя! У него впереди международная олимпиада! Как будто ты не знаешь...

Конечно, Илья знал. В прошлом году команда СССР на международной олимпиаде заняла девятое место — провалилась, не из-за Левиного отсутствия, конечно, но девятое место было провалом. Они не захотят больше такого позора. В этом году у Левы есть шанс, последний шанс... городская олимпиада, всесоюзная, международная...

— Сейчас решается все! Все поставлено на карту!..

Прежде у Фиры с Левой был один организм. Что же, теперь их интересы расходятся, это у Фиры все поставлено на карту, а у Левы — плохая компания,

сигареты, водка? В Левином послужном списке чис-
лилась даже драка.

Это была загадка для всех учебников психологии.
Летом уехал на дачу хороший, плавно взрослеющий
мальчик, из тех, кто смотрит на плохих мальчишек
из окна, а у самого горло шарфом завязано и в руке учебник, а приехал... кто? *Обычный мальчишка*
в переходном возрасте?

Первого сентября Лева пришел домой с лицом,
раскрашенным синим и красным так густо, словно
он играл в индейцев. Кровоподтеки, царапины на
любимом лице, нарушение Левиной физической це-
лостности было потрясением — как будто это ее
расцарапали. Лева ребенком-то никогда не дрался,
и вдруг — драка с одноклассником... На испуган-
ные вопросы «почему, что произошло, скажи, это
останется между нами» последовало твердое «нет»
и совершенно невозможное между ней и Левой
«это мое дело».

Фиру вызвали в школу, впервые не для того, чтобы Леву похвалить.

— Дело не в самом факте драки, — сказал
классный руководитель, математик, — важен характер драки. Это была дикая, с остервенением,
драка до последнего... Может быть, вы знаете, на
какой почве произошел конфликт? Из-за нацио-
нального вопроса? Это не оправдывает, но хотя бы
объясняет его безобразное поведение...

Фире было бы легко оправдать Левино безобразное поведение согласием, даже просто кивком, — да, это был национальный вопрос. Математик был еврей, сутулый, полноватый, в очках, и явно имел в своем школьном прошлом что-то вроде обзывания «жидом пархатым». Но она только отрицательно мотала головой — нет, не знаю, не понимаю, «наверное, была какая-то важная причина, но он нам не сказал...».

— Лева — наша гордость. Но это школа, понимаете?

— Понимаю, спасибо, — сказала Фира и пошла домой.

На первом же родительском собрании звучало — Резник, Резник, Резник... Главное слово было — неуправляем. Резник ведет себя высокомерно, подчеркивает свое интеллектуальное превосходство над учителями, неуместно высказывает свое мнение. Брестский мир нечестен, отмена НЭПа неразумна, Горький примитивен... Пользуется своей образованностью и прекрасно развитой речью, но у нас на уроках не один Резник.

Затем последовали претензии другого порядка — не к интеллектуальной наглости, а к поведению. Фира сидела, уткнув глаза в парту, а родители смотрели на нее с любопытством, сочувственным и отчасти ехидным, — надо же, Резника ругают, мир перевернулся! Учителя вывалили на нее мешок претензий, все на букву «у» — ушел, увел, устроил... Ушел без разрешения с урока литературы, увел с собой половину класса, и даже в субботнем походе Лева умудрился повести себя плохо: все пошли в одну сторону, а Резник в другую... Диагноз колебался от мягкого — «излишняя шаловливость, неуместная независимость, подчеркнутое неуважение к взрослым» до сурового — «хулиганство»... Иногда кто-то из учителей говорил: «Резник — наш лучший математик», Фира поднимала глаза и робко смотрела, но дальше звучало «но...», и она опять опускала голову.

Так ее и бросало — от гордости к стыду, из жара в холод. Испытывать одновременно столько сильных эмоций оказалось непосильно тяжело, Фира перестала слушать, уплыла и кивала, кивала...

За «Левину математику» с самого начала отвечал Кутельман, 239-я школа была «Левина математика», он всегда ходил на собрания с Фирой, ждал во дворе у входа в кинотеатр «Спартак».

— ...Эмка! — Фира бросилась к нему, как к спасению. — Эмка, Эмка!..

Можно было сесть на троллейбус на Литейном, проехать несколько длинных остановок, но они, не сговариваясь, пошли пешком.

— Лева — талантливый математик, но что интересно... Для математика характерна некоторая отрешенность, а Левина главная черта — страстность. Это тот редкий случай, когда математический талант и натура отчасти противоречат друг другу.

— Но в кого он может быть страстный? Илья однолюб. ...В кого же Лева?..

— В кого?.. А в тебя, — легко сказал Кутельман.

— В меня?! Я страстная?.. Ты что... У меня за всю жизнь никого, кроме Ильи, не было.

— Я не об этом, я совсем о другом... Я о том, как ты относишься к Леве и вообще к жизни...

Смутились оба.

— Все в одну сторону, а он в другую? И что?.. Он талантливый математик, он отстаивает свое видение, свой интеллектуальный перевес так же, как собственный способ решения задачи. Он решил, что его способ решения короче, длинней, трудней, легче... Когда Лева получит медаль Филдса, мы с тобой будем вспоминать этот разговор и смеяться.

Услышав «математический талант», «талантливый математик», «медаль Филдса», Фира резко глотнула воздух, словно она тонула, а Эмка ее вытащил.

В начале октября Фире позвонил руководитель маткружка, человек, настолько погруженный в олимпиадную математику, что у него не торчал наружу, в жизнь, даже кончик носа.

— Меня не интересует его поведение, я не воспитатель. Только в связи с математикой. Но если бы это был не Лева, я бы исключил его из кружка.

Фира ахнула — сердце подпрыгнуло и упало вниз.

— Не ругайте его так, все-таки у него в прошлом году второе место на всесоюзной...

— Меня не интересуют прошлогодние места! — вскричал математик.

Математика не интересовали прошлогодние места, не интересовало количество и сложность решенных задач, его интересовали только *нерешенные* задачи и будущие победы.

— Никто не решил задачу на рекуррентные соотношения... — печально сказал математик. — Лева подошел к решению ближе всех, но остановился на полпути. ...А у него впереди олимпиады. Чтобы попасть на всесоюзную, нужны способности, у вашего сына они есть, и уровень подготовки, — это даю ему я. Но мало попасть на олимпиаду, нужно победить. Математическая олимпиада — это спорт. Чтобы победить, нужна воля к победе. Нужно не отвлекаться от математики на ерунду вроде... вроде всего остального. Нужно собрать себя в кулак... И вам, и ему. Понимаете?

— Понимаю, спасибо вам за все, — сказала Фира.

...Пубертатный период изменяет поведение мальчиков, иногда даже меняет их личность. Нужно направить гормоны в спорт, учебу, общественно-полезные дела. Иногда приходится просто перетерпеть, быть мягче, у кого-то переходный возраст проходит бурно, а у кого-то очень бурно. Для подростков характерны претензия на лидерство, отход от родительской модели, протестные реакции... Так или почти так Фира успокаивала родителей мальчиков, своих учеников. Прежде смена позиций была забавна — у себя в школе она была учителем, а в Левиной школе мамой, но мамой лучшего ученика, ее прекрасный сын был одновременно подтверждением ее профессиональной состоятельности, вершиной ее педагогического мастерства. Теперь она стала мамой «плохого», и это превратило забавную ситуацию в болезненную, словно, провалившись сама, она потеряла право учить других...

Да, Фира обычно советовала родителям подростков в сложных ситуациях выступать единым фронтом, не дать себя разделить, поссорить, чаще повторять «у нас одна цель».

Но все это была *жизнь других.*

— Что нам делать, Илюшка, что делать?.. Разбуди его! Давай поговорим с ним, ты поговори с ним как отец, как мужчина...

— Ты обалдела? Будить пьяного и разговоры разговаривать? ...Ты такая красивая в этом халате, давай лучше пойдем спать...

Илья присел на диван рядом с Фирой, снял с ее головы полотенце, черные волны еще влажных после ванны волос упали на плечи. Илья потянулся к вороту яркого цветастого халата, расстегнул верхнюю пуговицу, погладил грудь, затем рука поползла к животу, слегка раздвинула ей ноги, принялась гладить.

Халат в цветах, и Фира в цвету — красивая яркая женщина, без полутонов, как дама пик. Илья быстро перебегал рукой, гладил ее то внизу, то по голове, это была не настойчивая ласка, а ласковая интимная шалость, намек, приглашение... Илья умел ее рассмешить, расслабить, но решить, будет ли у них любовь, всегда должна была она.

Фира не отзывалась Илье, но и не отталкивала его руку.

Сегодня математик опять вызывал Фиру — не ругать, а вместе беспокоиться, от разговора она разволновалась так, что заболело сердце.

— Человеку талантливому легко слететь с пути, талантливые беззащитны. В этом возрасте именно с талантливыми может случиться все что угодно. Хотите пример? ...Не хотите? Ну, ладно, вы же сами педагог. Следите за ним, не спускайте глаз.

— Я слежу, слежу!..

Фира следила, это было даже немного сумасшествие, как она следила за Левой, можно сказать, превратилась в настоящего шпиона. Когда Лева разговаривал по телефону — прислушивалась, когда спал — проверяла карманы, портфель.

Елена Колина

— ...Илюшка, подожди... Илюша, что с ним случилось? У него всегда были только интеллектуальные интересы: шахматы, история.... У него в портфеле записка от Алены... Может быть, дело в Алене, может, у него первая любовь?..

— Фу! Не хочу слушать! С ума сошла — шмон устраивать! Противно!..

Илья прервал ее так возмущенно, презрительно, и возмущение, и презрение относились к ней. Обидно, как обидно! Как будто ей самой не противно «устраивать шмон», но они же взрослые люди, родители!

— Таким способом? Спасай сама — без меня.

— Без тебя?.. Без тебя?! Но я и так все сама, без тебя...

Илья в это страшное для Фиры время как-то самоустранился, растворился в череде дней — у него работа, у него возня с машиной, у него дружки, и от математиков Фира выслушивала про Леву плохое одна, волновалась одна, следила одна. Как будто это была ее война. Она и сама, конечно, виновата, она его в это — трудное — не вовлекала по своей семейной привычке оставлять трудное себе. Да и что Илья? Разве он виноват в ее муке, в таком вдруг неправильном взрослении ее блестящего мальчика. Он бы сказал: «Подумаешь, большое дело...»

Фира вздохнула, нахмурилась, приготовилась сказать: «Я извелась, ночами не сплю, а ты говоришь «противно!». Какое может быть «противно», когда Леву нужно спасти, сохранить?! А ты, ты что сделал?!» Но не сказала — разве сейчас речь о ее обидах? Сейчас речь о Леве.

— Не заводись, Фирка... Давай стели постель... — попросил Илья.

Каждый вечер Фира раздвигала диван, долго стелила постель, старательно разглаживала простынь, пытаясь симметрично засунуть концы простыни под спинку дивана. А убирать утром постель и собирать диван было обязанностью Ильи, и каждое утро Илья говорил: «Фирка, можно я сегодня не буду убирать?» Знал, что она не разрешит, но это была игра, одна из их игр — он капризничает, а она строгая, утром Фира то притворно сурово, то нежно отвечала: «Никак нельзя, Илюшенька».

— ...Нет, не стели, это долго... — Илья раздвинул ей колени, прошептал: — Фирка, какая ты горячая, влажная...

— Подожди, нет, я не хочу, — оттолкнула его Фира.

— Не хочешь? — обиженно отстранился Илья.

— Не могу, — поправилась Фира, — я не могу, понимаешь?..

Илья убрал руку, сказал неожиданно трезвым голосом:

— А может быть, ему не нужно все это... что вы с Эмкой для него готовите?.. А может быть, он не математик?

— Не математик?... А кто же?..

— Нормальный. Не математик, а нормальный человек.

Лева — нормальный? То есть обычный? Фира улыбнулась, отчасти даже растрогавшись таким нелепым предположением, — Илюшка как ребенок.

— Господи, Илюша, ты сам не понимаешь, что говоришь! ...Вот Гриша Перельман ничем, кроме математики, не интересуется, — это нормально.

— А по-моему, ненормально.

Он дразнит ее, зачем он дразнит ее в такое тяжелое время, вместо того чтобы... чтобы... чтобы вести себя как положено отцу, он ее дразнит!..

— Да?.. Да? По-твоему, нормально — это когда вместо олимпиады выпивка? Это, по-твоему, нормально?! — Фира уже почти кричала.

Илья опустился на пол перед диваном, положил руки на Фирины колени. Крепкие красивые ноги, смуглая гладкая кожа, цветастый ситец разбросан по дивану...

Фира положила руку Илье на голову, машинально отметив — кудрявые волосы совсем не поредели. Илья все так же красив, и возраст ему к лицу, он стал по-другому красивым, более мужественным...

— Как ты не понимаешь?! Математика требует полного погружения, у него должна быть только математика, тогда он добьется! У него олимпиада.

Городская. Потом всесоюзная. Потом... если повезет... Это его судьба... ты должен с ним поговорить, должен... — другим, размягченным, голосом говорила Фира.

— Я сам в его возрасте прятал сигареты за батареей... и под матрасом немецкие порнографические открытки, — поглаживая ее, бормотал Илья.

Он видел Фирино отражение в боковом зеркале трюмо, он любил смотреть, как любит Фиру, и это всегда была Фира, ему не нужно было воображать другую женщину, но сейчас вдруг почудилось, что в зеркале была не Фира. В глазах было одно, в ушах другое, — Фира все говорила «олимпиада, городская, олимпиада всесоюзная», он попытался *не слышать*, представить, что это другая, незнакомая женщина... Фира полностью открылась ему, застонала и вдруг резко оттолкнула Илью, вытолкнула его из себя, как пробку из бутылки, и закричала:

— Ты что говоришь?! ...Ты *сам* в его возрасте! Как будто ты образец удавшейся жизни!.. Ты хочешь, чтобы Лева был, как ты?! Чтобы он ничего не добился?! Ты хочешь, чтобы он был неудачником? Как ты?!

Илья поднял голову между ее колен.

Секунду назад они представляли собой любовную картинку, живую иллюстрацию к любимой Ильей перепечатанной книге «Техника секса», а теперь —

то ли любовь, то ли ссора: она все еще открытая ему, с разведенными ногами, а он перед ней на коленях с растерянным лицом.

— Ты считаешь, что я неудачник?.. — сказал Илья, все еще придерживая ее раздвинутые ноги, уже не ласково, а настойчиво и зло.

Фира сбросила с себя его руки, прикрылась полами халата. Бессмысленно жестоко попрекать Илью, но чем измерить годы ее стараний, надежд, разочарований, годы бесконечного «Илюшка, когда ты начнешь?..». Она старалась, она так старалась, но Илья выскользнул, сошел с правильного пути, — и вдруг мелькнула страшная мысль: а теперь вслед за ним ускользнет Лева?!

Фира вздохнула, открыла рот, чтобы сказать: «Прости, я не это имела в виду, иди ко мне...» — и выкрикнула отчаянно, не помня себя:

— Я умру, если Лева станет таким, как ты!

— Как я? Я неудачник? А ты хоть раз спросила меня, что мне нужно? Ведь это был твой выбор... Это тебе была нужна диссертация... Ты решала, как нам жить. Это ты неудачница, это тебе не удалась наша жизнь... А я...

— Но разве мы сейчас — о тебе? — закричала Фира. — Разве *сейчас* важно, кем я тебя считаю? Разве сейчас мы должны выяснять отношения между собой? Почему ты говоришь о себе, вместо того чтобы думать, что делать с Левой!

Илья поднялся с колен, взял с тумбочки у двери ключи от машины и вышел из комнаты.

— Ты с ним поговори по душам! — закричала Фира в закрытую дверь. — По душам поговори, по душам... Может быть, у него первая любовь...

Услышала, как хлопнула дверь в прихожей, и подумала: «Он меня предал». Вместо того чтобы спасать ребенка, поставил на первое место не Леву — себя, свою обиду, свое уязвленное самолюбие. Она ударила его по больному, чтобы он встряхнулся от боли, опомнился, стер с лица эту снисходительную улыбку «я сам...». Чтобы он понял! А он развернулся и ушел. Ушел, когда Лева лежит у себя пьяный. Это предательство!.. Господи, Лева, ее птенчик — пьяный. ...Господи, за что?..

Фира тяжело поднялась, вышла в коридор, подошла к Левиной двери, прислушалась — тихо, вернулась к себе, зажгла верхний свет, встала у зеркала, всмотрелась в свое отражение — в черной волне надо лбом седая прядь, когда появилась — сегодня?..

Фирина мама Мария Моисеевна говорила: «Фирочка, ты у меня поседеешь, пока вырастишь этого ребенка, он у нас слишком...» Кутельман называл Марию Моисеевну «интуитивным мудрецом». Из множества теорий интеллекта ему нравилась та, что разделяла понятие интеллекта на приобретенный интеллект и интуитивный, данный природой, — человек делает верное умозаключение, но объяснить не может, даже не пытается. Мария Моисеевна не уточняла, что именно слишком — слишком умный, слишком красивый, слишком болезненный? Она говорила так, когда пятилетний Лева, как цирковая обезьянка, решал сложные задачи для Кутельмана, когда вслед за гриппом заболевал ангиной. Что бы она теперь сказала?.. Некому было Фиру пожалеть, некому было сказать ей «ты у меня...».

«Илюшка у нас красивый, у него своих делов по горло» — тоже ее слова.

Мария Моисеевна — мудрец. У красивых своих делов по горло.

В «Сладкоежке» Илья сказал учительнице Мариночке: «Моя жена отнеслась к этой истории философски». Фира — философски?! Она была так зла, что только слепой не увидит! И эта ее бешеная злость марафонца, который все поставил на победу и, не добежав до финиша, с размаха уткнулся в стену, было — «Моя жена отнеслась к этой истории философски»?! Да Фира головой бы эту стену разбила!

В июне Лева должен был готовиться к олимпиаде вместе со всей командой в Академгородке под Москвой, а в июле — Вашингтон.

Фира собирала документы. Количество необходимых справок множилось, каждая следующая справка была нужна срочно и казалась трагически недостижимой, и — вот еще одна справка, и все, и — все оказалось напрасно. И огромный Левин труд, и яростный сбор документов, и вся ее жизнь, положенная на Левино прекрасное будущее... В конце апреля овировская тетка-лейтенант объявила Фире, прибежавшей с последней справкой: «Зря торопились, справка не нужна, все равно остальные документы вашего сына потерялись». Фира не заплакала, посмотрела в глаза овировской тетке-лейтенанту прямо и смело, словно та вела ее на расстрел, и та ответила официальным взглядом: «выйдите из кабинета» и неофициальной гримасой «я-то тут при чем?». Казалось бы, событие международного масштаба, престиж образования, честь страны, — такое значительное *большое*, — а закончилось все на крайне низком уровне, на уровне овировского стола: по одну сторону — крашенный пергидролем лейтенант службы госбезопасности, по другую — Левина мама...

Перед тем как войти в дом, Фира на секунду замерла, повторяя слова, которыми она придумала утешить Илью: «Что ни делается, все к лучшему, Лева не поедет на олимпиаду, зато мы летом поедем с Кутельманами в Грузию».

На слове «Грузия» Илья побледнел, лег на диван, укрылся пледом, полежав минуту, вскочил, вскричал: «Я так и знал, я всегда знал, что этим кончится!» — опять лег, укрылся пледом. ...У него вообще была манера при любых неприятностях немедленно стать главным персонажем, он легко впадал в мрачное молчаливое отчаяние, Фира пугалась, утешала, бросалась предлагать конкретные пути, но Илья барахтался в своем мрачном отчаянии, как в вате. Это бывало и по совсем незначащим поводам, но в данном случае повод был ужасен, и Илья имел полное право, как говорила Фирина мама Мария Моисеевна, «на цыганочку с выходом».

Остаток вечера она утешала Илью, лежащего на диване с трагическим лицом.

— Все в этой стране мерзость, все... — слабо приподнимаясь, чтобы отпить из поданного Фирой стакана, шептал Илья. — И ведь как подло не пустили, отрезали хвост по кусочкам! Сказали бы сразу: «Резник на олимпиаду не поедет, потому что он еврей», а то — справку, еще одну, и еще одну... Как мне, еврею, жить в этой стране? А еще ты, Фира... Твои слова «все наше лучше»?.. Ага, молчишь, — твои.

Фирой он называл ее только в самые строгие минуты.

Фира действительно была ярой защитницей всего «нашего». Ей и сейчас было бы нетрудно возразить Илье — можно ведь просто разделить хорошее советское «наше»: Трифонов и Нагибин, БДТ и фильмы Рязанова, 239-я школа и участковый врач, выходивший Леву в бесконечных ангинах, — и советское «их», оскорбительное, подлое, воплощенное в пергидрольной тетке-лейтенанте из ОВИРА. Но было не время заводить споры, и, оставив Илью, продолжающего с дивана обвинять советскую власть, — Рейган, империя зла, запрет евреям на выезд, — Фира заглянула к Леве.

Лева плакал. Шептал: «Мама, что я сделал?.. — И на секунду вздохнул: — Там... задачи...» Виновата «эта подлая страна», внезапно показавшая блестящему ребенку огромную злобную фигу, но никакие «Рейган, империя зла» не имели значения, где Рейган, а где Лева, лежащий ничком на кровати в крошечной комнатке, из которой никогда не выветривался запах коммунальной кухни? Ни одно рациональное объяснение не работало, только мамино тепло, и она так крепко обняла Леву, словно он снова ее домашний толстенький мальчик и ему, как грудное молоко, нужна ее защита. Вот только она не сумела его защитить: предъявляешь миру прекрасное, а мир — раз, и кулаком в лицо... Фира плакала, шептала: «Мальчик мой, прости меня, прости», — просила прощения за то, что родила его, такого талантливого, не в той стране.

Плакала Фира, плакал Лева, но оказалось... *потом* оказалось, что несчастье может обернуться самым ярким счастьем — эта минута их душевного единения была самым прекрасным, что Фира пережила за всю жизнь.

Ну, и что из всего этого знал Илья?

Илья ничего про Фиру не знал, не понимал. Но разве это так уж необычно? Люди так бесконечно не понимают друг друга, что им следовало бы прекратить все попытки душевного общения, оставив в обиходе вопросы «что ты будешь есть?» или «когда ты придешь?». Разве не может быть так, что женщина доходит до самых опасных глубин отчаяния, лежа рядом со спящим мужем, а муж так никогда об этом и не узнает? При этом он может быть не так красив, как Илья Резник.

Илья выскочил ночью из дома и, заводя свой стоящий у подъезда «Москвич», мысленно выкрикивал до смешного схожие с Фириными слова: «Это предательство!» и «Господи, за что?..», вкладывая в них совершенно иной смысл. Фира про Илью не все понимала, а знала и того меньше.

\* \* \*

Не было более неподходящего времени для Левиного переходного возраста — у Ильи самого был переходный возраст. Фира предполагала, что Лева влюблен — в Алену, конечно, в кого же еще влюбиться такому блестящему мальчику, как не в главную девчонку во дворе? У Левы, конечно, будет первая любовь — чуть позже, а пока что у Ильи первая любовь. ...В тот вечер Илья впервые заговорил с Мариночкой о Фире.

...Илье было сорок два. Мариночке в точности наоборот, двадцать четыре. Таня не разбиралась в возрасте, по ее мнению, всем, кто старше ее самой, было тридцать, но все остальное она, придумывая свое кино, представила себе довольно точно. Илья, не постаревший, но возмужавший кинематографический красавец, обаятельный плейбой, у которого каждый возраст — лучший, и беленькая, как сахарная вата, Мариночка сразу вцепились друг в друга взглядами, и обоим было понятно, что им предстоит приятная необременительная связь. Тем более Мариночка жила в пяти минутах от Толстовского дома, в однокомнатной квартирке на Пушкинской.

Сначала Мариночка (Илья называл ее Маринка) не особенно понравилась Илье сексуально: одетая она была прелестна, раздетая же оказалась слишком бесплотной, Илья при первом на нее внимательном после секса взгляде ненаходчиво назвал ее про себя «цыпленок за рубль пять». Маринка была с интересной родословной, мама из рода литовских баронов, от этой дворянской литовской крови она и была такая синеватая, как цыпленок. Не все его женщины были похожи на крепкую, жаркую Фиру, но таких бессильно-девчоночьих не было. «О закрой свои бледные ноги», — процитировал Илья. Не то чтобы он был знатоком поэзии, он не знал, что это моностих, не знал даже, что цитировал Брюсова, сказал просто как смешную фразу и тут же осекся — девочка обидится. Но Маринка засмеялась.

И любовницей Маринка была не лучшей, в постели вела себя как школьница. Их первый секс был очень застенчивый, и как будто второпях, как будто сейчас мама придет с работы, и — вот черт, ей больно! На осторожный вопрос Ильи: «У тебя ведь были мужчины, верно?» Маринка смешно надула щеки и повела глазами, словно окидывая взглядом полчища мужчин в своей крошечной комнате, и Илья успокоился — нет, не девственница. Это хорошо, девственница — это прилипчивая привязанность, лишние проблемы.

«Полчища мужчин» не научили Маринку, что женщина должна делать в постели. Она искренне считала, что постель — очень удобное место для разговоров, и нужно покончить с сексом, уделив ему хотя бы чуть-чуть меньше времени, чем хочет мужчина, и дальше — долго — много — обо всем — разговаривать. «Она мне не нужна», — подумал Илья, выходя из квартирки на Пушкинской. Это было в первой половине сентября.

А в октябре Илья бесстрашно целовал Маринку на всем пути от школы до дома, от Литейного до Пушкинской. И если бы ему предложили вернуться к жизни без нее, сказал бы: «Какого черта, она мне нужна!»

Маринка была ему нужна. Вопрос — зачем.

Во-первых, они смеялись. Маринка была умная, остренькая, с хорошим чувством юмора, а уж Илья шутил так шутил, у него было то, что называется «еврейское остроумие» — мягкий парадоксальный юмор, необычный взгляд на мир, вытаскивающий смешное из обычного. Фира тоже смеялась его шуткам, но через одну и чуть снисходительно, как тренер, знающий, на что способен его подопечный. А Маринка смеялась удивленно, как будто он дарит ей прекрасный подарок.

И во-вторых, они смеялись. Смех, одно из самых мощных сексуальных воздействий, сделал их сексуальные отношения живее. С Фирой у него было все, что только может быть у здоровых, любящих друг друга и секс людей, но это была дорога, по которой они шли вместе. А с Маринкой, застенчивой и упрямой, его впустили в чуть приоткрытую дверь. Маринкино либидо было несильным, или еще не время было ему проснуться, и каждое свидание он продвигался по сантиметру. Но не только он ее учил, и она его научила, что застенчивые уступки и продвижение крошечными шагами доставляют особенное удовольствие.

Многое из того, что с Фирой, с Маринкой было нельзя. Илья, к примеру, пробовал целовать Мариночку так, как целовал Фиру, и Мариночка сжалась — нет, нельзя, никто... Это оказалось ключевым словом — никто. Никто до тебя, ты первый. Маринка, конечно, не была его первой любовницей, не была и десятой, и Илья с его опытом любовных связей не поддался бы на эти старые как мир уловки, но в том и было дело, что это не было уловками. Маринка не вступила в обычные отношения с женатым, не интересовалась его браком, не спрашивала «кто я тебе?», «ты любишь жену?», «тебе с ней так же хорошо, как со мной?», ни обид, ни намеков, ни демонстративного чувства вины, — ни разу Фирина тень между ними не промелькнула.

Но и это было не главное!

Главное — что Илье было сорок два, и он был человек без внутренней речи. Кутельман, к примеру, только и делал, что вел диалог с самим собой, спрашивал себя, почему так и почему этак, и сам себе объяснял, а Илья только и делал, что чувствовал. Чувства его были приятными и не требующими анализа.

Вернее, так было всегда. А теперь нет. Последнее время, с конца августа — вот такое совпадение, — Мариночка появилась именно тогда, когда она ему понадобилась... В конце августа Илья без всякой внешней причины подумал: «Мне сорок два года. Мне, черт возьми, сорок два года!» И пошли-поехали черные мысли: «Раньше все было в горку, а теперь с горы...», а за ними побежали другие: «Чем жить, если впереди с горы, и не пора ли, батенька, подумать о душе?..» Он словно обнаружил в себе протечку — от этих мыслей всегдашняя радость жизни утекала, и он ничего не мог с этим поделать, — капает и капает, и нечем заткнуть...

Ну не с Фирой же говорить об этом! И не с Кутельманом! Илья был уверен, что Эмке об этих материях кое-что известно, но отношения с ним были родственные, а с родней не говорят о смысле жизни. ...В таких случаях человек спасается разговором с самим собой, но Илья разговаривать с самим собой не умел — нет хуже рефлексии, чем рефлексия человека, не привыкшего рефлексировать, — он страдал, как ребенок, плачущий не столько от страха, сколько потому, что не знает, *что это*, не может страшное назвать.

А с Маринкой он *разговаривал*. Илья посмеивался, называл себя поленом, а ее папой Карло, она вытесала из него говорящего человечка. Илья не знал ее слов — «экзистенциальные ценности», «идентичность», «уникальность», «выбор», «право личности на самоопределение», — и поначалу Маринкин «постельно-философский лепет» его чрезвычайно раздражил. «Осознание своей жизни как ценности помогает выйти из морального солипсизма, раскрывает личность навстречу миру», — говорила Маринка, а Илья смотрел на трещины на потолке и, как в анекдоте, думал — потолок нужно побелить, и еще думал — какого черта?! Но уже со второй или третьей встречи стало понятно, что все это — смысл жизни, страх смерти, внутренняя свобода — про него, что все его непонятно мучительное имеет название, а значит, не стыдно, и как-то вдруг оказалось, что теперь он говорит, а Маринка слушает.

Маринка говорила вообще, теоретически, а Илья конкретно, о себе. Как будто она читала лекции, а он вел практические занятия по своей жизни.

Это было как наркотик — говорить о себе. ...Он счастлив в браке — наверное, это называется «счастлив», но Фира для него привычна-понятна, как небо, как воздух...

...Все его измены были «картофельные», на картошке, в командировках, в обеденный перерыв на работе, это были не романы... Но где же любовь?

...Он рад, что Лева такой талантливый, что у него большое будущее, но разве гордость за сына может составлять смысл жизни мужчины?..

...По общепринятым меркам, он неудачник, инженер, по мнению друзей — пиздобол, похеривший Фирины надежды...

...А может быть, ему нужно было уехать? В Америке, в Израиле он мог бы прожить другую жизнь...

...Неужели он никогда не увидит Париж?..

И даже: «Зачем я в этом мире?..» Кому еще Илья мог бы задать вопрос «Зачем я в этом мире?», кроме Маринки?..

Конечно, можно было бы сказать, что Илья в свои за сорок инфантилен, эгоистично сосредоточен на себе и в юной философствующей Маринке нашел собеседника по мерке. И свои несложные мысли он может преподнести как глубокие размышления только ей, а взрослый собеседник, обладающий привычкой *думать*, расценил бы все это как обыкновенное возрастное нытье. Можно было бы сказать, что Илья не первый, кто попался на крючок, более крепкий, чем секс, — разговоры. Каждому мальчику, сбитому с ног кризисом среднего возраста, хочется, чтобы его слушали. Ну и что? Каким Илья был философом — неважно, важно, что в начале октября он сказал Маринке «Я тебя люблю...», а ведь эти слова прежде принадлежали одной лишь Фире. Так и сказал: «Цыпленок мой чахлый, я тебя люблю!», не прочувствованно, а весело, что почему-то звучит более искренно, еще обидней для Фиры, — бедная Фира!

Ну, и наконец, можно было неромантически, цинично сказать, что псевдофилософские разговоры — чепуха, на самом деле все просто: Илье сорок два, а Цыпленку двадцать четыре. И как все неромантические, циничные утверждения, это было правдой. С Маринкой Илья чувствовал себя *не* сорокалетним, *не* мужем Фиры, *не* отцом Левы с недостаточным чувством ответственности, *не* пиздоболом, похерившим Фирины надежды, а почему-то даже моложе Маринки, двадцатилетним, и мимика была *как тогда* — улыбочки-усмешки, и интонации победительные, и руки-ноги двигались, *как тогда*. Каждый вечер Фира с сосредоточенным лицом проверяет, глубоко ли засунула простыню под спинку дивана, — невозможно представить, что Маринку интересует степень засунутости простыни...

От Толстовского дома до Пушкинской пешком десять минут, Илья пробежал бы от своего подъезда до Маринкиного минут за шесть, но в тот вечер он поехал к ней на машине, через проходные дворы. Он жил в своем районе и, как изучивший все тропы муравей, знал вокруг Невского каждый двор, в отличие от Кутельмана, знающего только свои пути — пешком до Невского и троллейбусом до матмеха на 10-й линии Васильевского.

Илья поехал на машине, так выглядело драматичней: хлопнуть дверью, броситься в машину, взвизгнув тормозами, уехать в ночь, потому что дома — предательство!

— Маринка! Она говорит «поговори с ним», но ведь я уже с ним разговаривал! Что, мне опять повторять «пить плохо, курить вредно!»? Как будто я идиот!

Илья с Левой действительно *уже разговаривал*, но то ли Илья не сумел сыграть роль благородного отца, то ли Леве не подходила роль блудного сына, но это ничем не закончилось, то есть ничем хорошим.

А может быть, Фира была виновата?

Если бы над Ильей не нависала Фирина длань, если бы Фира не приготовила ему заранее текст, — что сказать, не сопроводила его до двери Левиной комнаты, не суфлировала из коридора, Илья, хороший друг, вернее, дружок, но никакой воспитатель, сказал бы то, что действительно хотел бы сказать: «Да кури ты открыто, и давай мы с тобой вместе выпьем, я тебя научу, как понять свою меру...»

И Лева бы улыбнулся, и Илья бы улыбнулся, и Фира бы в коридоре улыбнулась. Но тогда это была бы другая семья.

Стоя над Левой — в крошечной Левиной комнатке кровать была наполовину загорожена письменным столом, так что один мог только лежать, а другой стоять, — Илья послушно повторил над лежащим сыном Фирины слова:

— Тебе нужно думать о математике, а ты...

Лева насмешливо на него посмотрел — а *ты*, папа?..

Илья самолюбиво вскипел — что я? Лева еще раз насмешливо взглянул, в глазах ясно читалось: «Ты даже диссертацию не смог защитить...», но вслух сказать не решился.

— Ты проводишь у Ростова все субботы, приходишь домой...

— Прихожу домой выпимши и накуримшись, как говорила бабушка, — продолжил Лева. — Папа,

143

ты можешь определить степень и качество выпитого на глаз, ты же понимаешь, что я не напиваюсь. Как правило, это невинный бокал вина...

На это Илья по-Фириному нервно начал воспитательный крик «Невинный? Бокал вина?!», как будто он сам никогда не выпивал, мальчишкой не курил в подворотне, как будто он был не собой, а Фирой.

— Математикой нужно заниматься с полной отдачей, посмотри на Гришу Перельмана... — И так далее. А когда Илья договорился до классической фразы «ты что, хочешь быть дворником?!», Лева издевательски вежливо сказал:

— Извини, папа, если это все, можно я начну заниматься? Математикой.

И Илья замолчал на полуслове — а он еще собирался напоследок поддать жару, — и вышел, хлопнув, конечно, дверью.

...Фира поджидала результатов в коридоре, понимала, что глупо и унизительно стоять под дверью, но не смогла усидеть в своей комнате.

— Ну что? Ну что, что?!

— Что-что? Переходный возраст, — значительно сказал Илья.

И все?.. А Фира на эту беседу возлагала большие надежды.

Напрасно Фира привлекла Илью к делу спасения Левы от первой рюмки и сигарет «Опал», после Спасительной Беседы у Ильи с Левой катастрофически испортились отношения. Но она ведь не знала, что не только у Левы, и у Ильи переходный возраст!

Теперь Фире приходилось не только за Левой следить, но и за Ильей — чтобы не обидели друг друга. Фирины мальчики ссорились, так что было впору поинтересоваться, кто первый начал.

Можно сказать, Илья первый начал. Лева стал его раздражать. Лева не-ребенок, Лева со щетиной на лице был для него чем-то немного стыдным, он даже говорить с ним начал неестественным тоном, как будто чего-то стеснялся, как будто он сам был невзрослый для такого вдруг взрослого сына.

Для раздражения имелась и вполне конкретная причина. Илье все время хотелось Леве сказать: «Ты что, самый умный?!», как будто он что-то с собственным сыном пытался поделить. Всю жизнь гордился, что его сын самый умный, маленьким Левой играл, как умной игрушкой, наперегонки с Кутельманом: Лева, реши, Лева, скажи... А теперь, когда Лева окончательно и навсегда перестал быть игрушкой, когда у него щетина на лице, вдруг это примитивное петушиное «Ты что, самый умный?!».

В ссору могло превратиться даже самое, казалось бы, мирное семейное чаепитие. Как-то вечером, у телевизора, после программы «Время» Лева уверенно сказал:

— Этому маразму осталось недолго, лет пять, не больше.

Илья рассмеялся — советский строй вечен, будь готов, всегда готов...

— Система сама себя взорвет, я имею в виду не политику, а экономику. Плановая модель была экономически более рациональной по сравнению с рыночной в условиях низкого исходного уровня развития, но... Ну, ладно, ты все равно в этом не разбираешься.

О-о, о-о... Каково такое услышать?!

— Ты думаешь, раз я не защитил диссертацию, я не разбираюсь?! Но я пока еще твой отец...

— Аргумент слабоват... — заметил Лева и тут же поправился: — Я имел в виду, что апелляция к родственной связи не аргумент в споре.

— А ты не слишком умный, чтобы быть моим сыном?..

И пошло-поехало... Илья недоумевал, обижался, злился. На любое его замечание, мнение, оценку событий Лева отвечал «папа, ты в этом не разбираешься», и это звучало как «что ты вообще понимаешь?» и даже «чего ты сам в жизни добился, чтобы меня учить?».

«Самый умный ребенок» стал самоуверенным взрослым, высокомерным, непочтительным, и все его интеллектуальные достижения были, по мнению Ильи, оружием для того, чтобы продемонстрировать, кто из них умней. Но ведь невозможно каждый раз кричать в ответ «я твой отец!». Илья защищался от Левы бытовым раздражением: не так встал, не там сел, не то взял, и так нехарактерно для себя мелочно, нетерпимо, визгливо, как бывает только от большой невысказанной обиды.

...Было и совсем прежде немыслимое в этой семье. Илья сказал: «Нет, ты не пойдешь», а Лева: «Папа, ты нелогично себя ведешь» — и ушел. Илья зашипел в громыхнувшую перед его носом дверь, как раскаленный утюг, и растерянно оглянулся.

Фира подскочила испуганной птицей, заторопилась:

— Переходный возраст! Он себя утверждает, в этом возрасте бывает противостояние между отцом и сыном...

Но это был вопрос, у кого из них более бурно протекал переходный возраст — у Левы или у Ильи. И кто из них хуже себя вел, громче кричал, яростней злился, сильней хлопал дверью, обижался, кто нелогичней себя вел. Возможно, Илье больше подходило иметь дочь, баловать ее, любоваться, быть снисходительным, нежно одураченным, быть с ней как король с принцессой.

Все это происходило очень быстро — с Ильей всегда все происходило быстро, как с ребенком, и к той ночи, когда все это происходило, Илья уже окончательно надулся, демонстративно отодвинулся. Что оставалось Фире?.. Следить дальше.

— А Фирка как с ума сошла... Ты не представляешь, что она творит... обыскивает, обнюхивает, как овчарка, — пожаловался Илья, словно требовал, чтобы Мариночка поставила Фире двойку за поведение.

— Она мама, — уклонилась от оценки умница Маринка, — а ты ябеда.

— Да. Но, понимаешь, сегодня я подумал... Я хотел... Я обиделся...

Привыкнув говорить с Маринкой о своих душевных движениях, Илья уже было бросился рассказывать ей, о чем он подумал, чего хотел, на что обиделся, но остановился, сказав «да так... ерунда», — именно это нельзя было рассказывать.

В тот вечер он впервые увидел Фиру иначе, не частью себя, а как будто «на новенького».

Увидел и испугался, не Фиры, конечно, испугался — погрузневшая, с отекающими под вечер веками, всегда совершенно непоэтически озабоченная, она все равно была красива, красивей Маринки, — он испугался себя. Ну как объяснить? Она была вся — страдание, вся — Лева, вся — безнадежно взрослая жизнь, она была частью его «под горку». Он испугался своей к ней внезапной враждебности и — бросился любить ее. А она не захотела, все ее мысли были о Леве.

С его стороны это был благородный поступок! Он хотел любить ее, а она его отвергла. В конце концов, кто, имея молодую любовницу, так упорно хочет свою жену? При всей пошлости и невозможно-

сти обнародования этой мысли именно в этом была
его обида. Рассказать об этом Маринке нельзя, но
кое-что сказать все-таки можно.

— Я не могу жить только Левой, я тоже есть...
Это плохо, нечестно, но я не могу, — пробормотал
Илья, уткнувшись в тонкие Маринкины руки. И Маринка намотала на ус на будущее: когда у нее самой
будут муж и ребенок, ей всегда нужно помнить, что
она со своим ребенком — одна. И еще, «я не могу» — это аргумент.

Этой ночью Илья остался у Мариночки, это не
было решительным поступком, перечеркивающим
его семейную жизнь, это вообще не было поступком, — как у всякого киногероя, бродящего от жены к любовнице, у Ильи имелся «институтский
друг», который подтвердил бы, что Илья ночевал у
него, если бы Фира стала проверять, но она не стала. Этой ночью Илья любил Мариночку, и это было как никогда ярко, а Фира пережила не менее
сильное, а возможно, и более яркое любовное потрясение. Лева проснулся, вышел на кухню за водой, и кого же он увидел ночью на кухне — конечно же, маму. И виновато сказал:

— Ты не спишь, мама... — А на ее очередное «Левочка, олимпиада...» сказал: — Конечно, олимпиада — самое главное. Сигареты, алкоголь, все, что мне
было интересно, я попробовал. Неужели ты думала,
что я так примитивно устроен? Это был эксперимент.

— Эксперимент?.. Левочка, я люблю тебя, — прошептала вспотевшая от прилива счастья Фира. В сущности, все обошлось прекрасно, гадости переходного возраста, которые растягиваются у других на год и больше, у Левы заняли два месяца. У гениев все иначе и все быстрее.

Ее мальчик, ее малыш ответил, как между ними было принято: «И я тебя люблю, мама», и Фира ушла спать счастливая. Легла, закрыла глаза, побаюкала, погладила мысленно свое счастье и, уже засыпая, подумала: слава Богу. На мучивший ее вопрос «Неужели Лева как Илья?» был получен ответ: «Лева не как Илья, Лева — как Лева».

## Тайная и явная жизнь Алены

### *30 ноября*

— Черт бы тебя взял, черт бы тебя взял! — четко в такт шагам проговаривала Алена, направляясь к соседнему со своим подъезду. Кто-то на верхнем этаже неплотно закрыл дверь лифта, и Алена, нетерпеливо потыкав пальцем кнопку, в сердцах стукнула по ней кулаком и помчалась на третий этаж, размахивая черной лакированной сумочкой на длинном ремне, будто по пути собиралась кому-то врезать.

Считается, что о личности женщины говорит содержимое ее сумочки, но судить об Алениной хитроумной личности по черной лакированной сумочке было нельзя... или наоборот, можно — это была не единственная ее сумка, у Алены было две сумочки, тайная и явная. Две сумочки: одна наполненная тем, что можно, другая — полная того, что нельзя. В явной сумочке Алены: упаковка «Гематогена», две конфеты «Мишка на Севере», блеск для губ, разноцветный комок шарфиков. Тайная сумочка, коричневая с большой металлической пряжкой и модными металлическими шипами, была объявлена потерянной, использовалась для тайной жизни и хранилась в безопасном месте — у Тани Кутельман. За тайной сумочкой Алена сейчас и бежала. «Черт бы тебя взял» относилось к Андрею Петровичу.

На встречу с англичанкой в «Европейскую» Алену собирали всей семьей и провожали, как на войну. Это может показаться странным и смешным — неужели семья первого секретаря райкома никогда не контактировала с иностранцами, но этому существует простое объяснение — нет. Андрей Петрович и Ольга Алексеевна никогда, ни разу в жизни не общались с иностранцами как с живыми людьми. Смирнов, конечно, не раз присутствовал на приемах иностранных делегаций и других официальных мероприятиях, но там всегда было множество референтов-переводчиков, — и никакого непосредственного контакта, даже на рукопожатия были свои правила и ограничения.

Смирновы бывали за границей, и в официальных поездках, и по путевкам, в группе. Но они ни разу не были вдвоем в кафе, в театре или в магазинах, только в группе, в сопровождении референтов, и даже с продавщицами в магазинах Ольга Алексеевна общалась под присмотром референтов — знаками. Особенно хорошо у нее получалось «это мне велико», — она разводила руки и надувала щеки, хотя могла на школьном уровне говорить по-английски, язык не поворачивался сказать «Can you help me...» или «How much...», и даже «спасибо», уходя из магазина, она говорила по-русски.

И от всего этого, какое бы положение ни занимал Смирнов, у него сложилось твердое убеждение, что иностранцы не вполне люди, а чуждые нам существа, обманчиво миролюбивые, опасные.

С утра по дому гулял смерч — Алена одевалась, красилась, причесывалась.

Алена кричала «нет, не то, не так!», расшвыривала выбранные с вечера тряпочки по комнатам.

Ариша Алену красила. Старательно плевала в тушь, выводила каждую ресничку.

— Быстрей! Я тебя сейчас за руку укушу, — пригрозила Алена и впрямь лязгнула зубами в районе Аришиной руки, от неожиданности Ариша задела ей нижнее веко, тушь размылась слезами, и все пришлось начинать сначала.

Нина Алену причесывала. Уложила локоны в высокую прическу, Алена сказала — ты что, я же не замуж выхожу! Распустила кудри по плечам, Алена сказала — как на деревенских танцах.

Смирнов самолично проверил, в чем Алена выходит на международную арену, и, конечно, из этого вышел скандал. Не маленький рядовой скандальчик, а масштабный скандалище с криком и валидолом.

— Почему юбка такая короткая?! Почему такая... такая красная? — набычившись, пробурчал Андрей Петрович. — Почему намазалась, понимаешь?.. Как на бал собралась!..

— Юбка не короткая, а так модно! Красная, потому что красного цвета!

Андрей Петрович смотрел мимо Алены в пространство. Какие страшные картины виделись ему за голыми коленками — насилие или просто мужские взгляды, направленные на его драгоценную девочку?..

— ...Короткая юбка... Короткая... Все открыто по самое здрасьте!.. Не пойдет.

Смирнов махнул рукой, ушел в кабинет, запер дверь на ключ, и Алена побежала за ним, злобно забарабанила в дверь. Если отец не пускал ее в кабинет, она всегда пыталась доругаться через дверь. «Упорная, как я, — думал Смирнов, — стоит там, за дверью, набычившись... подбородочек выпятила, ножкой топает». Замечая сходство Алениного характера со своим, он и злился, и умилялся — Алена вся в него, ее на обе лопатки не положишь.

— Ты не понимаешь в моде! Ты ничего не понимаешь! Что мне, в школьной форме идти?.. Мне все это надоело, надоело!.. — задыхаясь от ярости, билась в кабинет Алена.

Андрей Петрович открыл дверь, и она от неожиданности влетела в кабинет головой вперед, прямо в руки к отцу.

— ...Что ты так орешь-то, ножками топаешь, как маленькая, — мгновенно расплывшись от нежности, протянул Смирнов. — Думаешь, я тебя боюсь?.. Как же, испугала... Испугала клизму голой жопой...

— Сам ты клизма, — в сторону, шепотом сказала Алена, вслух не осмелилась.

Андрей Петрович говорил с Аленой то строго, то нежно; как истинный тиран, он легко переходил от ласки к таске, Алена ласково мяукала «все так носят», она ведь тоже была тиран и легко переходила от требований к уговорам. И как будто случайно, непреднамеренно, по сантиметру отодвигалась от отца, пока окончательно не выскользнула из его рук. Андрей Петрович вздохнул — после пожара она почему-то избегала его прикосновений, а он, старый дурак, так хотел погладить ее по голове, поцеловать за ушком, он...

Смирнов объяснил — он хочет для нее всего самого лучшего, сделать ее жизнь прекрасной, она будет работать за границей, в посольстве, он хочет для нее самого лучшего...

— Юбка здесь при чем? — досадливо фыркнула Алена, отодвинувшись от отца.

— При том. Там иностранцы! Всякие! Я этих людей не знаю! Черт знает что может быть! Нет! Нельзя! — заорал Андрей Петрович.

Алена почувствовала, как внутри поднимается знакомый жар. Это случалось с ней после пожара, началось почему-то не сразу, а через некоторое время: вдруг жар, языки пламени перед глазами, страх, что потеряет сознание. Ей всегда удавалось поймать момент, когда страх грозил перейти в панику; чтобы не дать себе испугаться до конца, начинала глубоко ритмично дышать, но сейчас она подумала — вот возьму и специально упаду в обморок!

...И все это — с утра. У Смирнова в этот день были назначены два совещания, одно в райкоме, другое выездное, на заводе, и еще, если получится, ОБХСС.

Весь этот цирк прервала невозмутимая Ольга Алексеевна — посреди Алениных воплей применила к ней высшую степень устрашения: взяла Андрея Петровича за руку и принялась считать пульс, а посчитав, демонстративно принесла валидол.

Алена вышла из дома вместе с отцом в темной юбке скромной длины, тонких темных колготках,

под курткой белая нарядная блузка с жабо, на шее
розовый шелковый шарфик, как пионерский галстук, — Смирнов все же добился максимальной ее
пионеризации и в пылу победы даже заставил смыть
косметику. Андрей Петрович уселся в поджидавшую
его «Волгу», а Алена, сквозь зубы улыбнувшись отцу на прощание, вместо того чтобы повернуть направо и выйти из двора, повернула налево — в со-
седний подъезд, к Тане. Алена была уверена, что Танины интеллигентные родители не лазают по чужим
сумкам, — насколько она вообще могла быть уверена в людях. А вот в интеллигентности своего отца она совсем не могла быть уверена — пусик мог,
не стесняясь, мимоходом засунуть лапу в ее сумку,
вытянуть оттуда что-нибудь и добродушно удивить-
ся: чего это ты недовольна, чего такого я сделал?..

«Черт бы его взял!» — думала об отце Алена, и
это была не фигура речи, она мечтала, чтобы отец
хоть на время, лучше подольше, куда-нибудь делся,
улетучился, испарился, исчез. Требует беспреко-
словного подчинения, а если нет — шантаж, якобы
ему плохо с сердцем. Душит ее любовью до полного спазма. Он ей со своей любовью — надоел!

Вот так, с подвыванием, — надое-ел!

Это было как в цирке, когда фокусник в черном
балахоне заходит за ширму и через несколько секунд
появляется в обличии, к примеру, клоуна, и зрители

присматриваются — он, не он?.. В Танин подъезд вбежала одна Алена, скромно-нарядная, как пионерка, а вышла другая Алена — в стиле Мэрилин Монро. Вызывающе красные пухлые губы, огромные, как у куклы, голубые глаза с черными ресницами, наивный хвостик с выбивающимися золотистыми прядями — фирменный Аленин эффект, как будто она только что встала с постели, вылитая Мэрилин Монро. В моде был яркий, почти сценический макияж, и от природы яркая Алена была накрашена на тонкий вкус чересчур многоцветно, но даже глупые, по моде, синие веки странным образом не портили ее свежести, она была невероятно, ярко красива, и первый же прохожий, взглянув на нее, вдохнул и не мог выдохнуть. Таня в школьном платье, украшенная только собственной естественностью (так ей мама говорила: естественность — лучшее украшение девушки), рядом с ней была как естественный чертополох рядом с цветущим пионом.

А пионерский наряд превратился в наряд сексбомбы — под курткой та же белая блузка с жабо, но заправлена под широкий ремень, так что тонкая талия кажется тоньше, пышная грудь пышнее, и, в сущности, неважно, во что Алена была одета, — у нее были *ноги*, невозможно красивые длинные ноги в черных кружевных колготках. Кружева струились до подола крошечной юбочки, юбочка была Танина, обычная, никакая, но — хитрость! Таня была на полголовы ниже Алены, и юбка ее для Алены была юбочка. Видел бы Андрей Петрович свою дочь в блядских черных кружевах, струящихся по самое здрасьте... Кружевные колготки хранились на всякий случай в тайной сумочке.

В тайной сумочке Алены: упаковка «Гематогена», три конфеты «Мишка на Севере», помада, шарфики, презервативы в запечатанном бумажном пакетике с надписью «Изделие № 2», два заклеенных конверта, на одном печатными буквами написано «Англия, Лондон, радиостанция Би-би-си», на другом «Швейцария, Женева, Комиссия по правам человека». И кто же обладательница этой сумочки — шарфиковая маньячка, малокровная сладкоежка-проститутка-правозащитница?

Алена с Таней прошли через третий двор, вышли на Фонтанку и разошлись в разные стороны: Таня налево, в школу, Алена направо, на Невский. Алена проходит Аничков мост и повторяет по-английски... На Невском, у Аничкового моста Алена зашла в аптеку, проследовала к прилавку и, простояв несколько минут в очереди, вдохнула воздух и, не понижая голоса, громко и четко сказала: «Мне, пожалуйста, презервативы». Очередь неодобрительно зашевелилась, кто-то громко сказал «ни стыда, ни совести», и продавщица осуждающе на нее взглянула, специально громко спросила: «Сколько? Один достаточно или вам нужно больше?» Очередь хитренько засмеялась, продавщица брезгливо швырнула на прилавок в точности такой же, что уже лежал у Алены в сумке, неприглядного вида пакетик с черной расплывшейся надписью «Баковский завод». «Вы дали один, а мне нужно два», — сказала Алена.

Презервативы Баковского завода были ей абсолютно без надобности, ни тот, что уже лежал в сумке, ни эти два. Если бы она кого-то полюбила, если бы она собралась с ним пе-ре-спать (это слово даже мысленно произносилось осторожным шепотом), об *этом* должен был бы позаботиться мужчина. Первый презерватив Алена купила для воспитания воли, чтобы научиться не смущаться. А следующие два — потому что сегодняшний день казался ей началом взрослой жизни, а во взрослой жизни уж точно полагалось умение, не смущаясь, купить презервативы, как и вообще умение делать все, что придет в голову.

...Психолог, работавший с Аленой после операции по пересадке кожи, — его работа заключалась в попытке внушить ей, что красота отнюдь не главное достоинство девушки, — так вот, психолог предупредил Андрея Петровича, что такой огромный стресс, как ожог лица, может полностью изменить личность. Предупредил, что Алена может стать тихой, задумчивой, робкой... Но она не стала.

Когда Алена после пожара начала выходить из дома, ее лицо еще было страшным, отечным, красным, со следами лопнувших пузырей, и не было дня, когда к ней не подошел бы какой-нибудь сердобольный взрослый — соседи, учителя, родители одноклассников — и не сказал бы: «Бедная ты девочка, испортила свое красивое личико». Алена говорила наивным голоском: «Лицо — это еще что, а вот шея у меня... Хотите взглянуть?» И сдвигала в сторону шарфик. Сердобольные взрослые в испуге отшатывались — зрелище было ужасающее, а Алена поправляла шарфик и неожиданно насмешливо отвечала, что она и обожженная будет гораздо красивей обычного человека... имелось в виду «ну, например, такого, как вы...». Ожоги еще не успели зажить, а сочувствие вокруг нее уже сменилось раздраженным шепотком: «Что она о себе воображает?!»

Насчет того, что будет красивой... Это был с Алениной стороны чистый блеф. Алена была совершенно уверена, что потеряла свою красоту. Но сочувствие было еще хуже, принять чье-то сочувствие Алене было как рыбий жир, как молоко с пенками, как запах в общественном туалете — тошнит.

Пожар был в мае, а к сентябрю у Алены уже снова было «красивое личико» — а на шее шарфик. И оказалось, что психолог был прав, Алена изменилась. Если считать, что отчаянная смелость была худшей стороной ее натуры, то после пожара Алена изменилась в *худшую* сторону. Стала совсем уж *не* тихой и *не* робкой, и этому были свои причины, на первый взгляд, не вполне очевидные, но если подумать, то совершенно все становится понятным.

Нина свалилась как снег на голову. Родители сказали, что взяли чужую девочку из партийного долга. Алена восхищалась своими благородными родителями, но... все-таки это было странно. Утром Алена с Аришей встали, лениво побрели в гостиную, а там на диване сидит чужая девочка, удоченная из партийного долга, — с добрым утром!..

Больше всего на свете Алена не любила быть пешкой, оставаться в стороне, чего-то не знать. Ее не оставляло желание узнать, в чем тут дело, и она узнала — *все вранье*.

Алена сожгла личное дело Нины, спасла Леву Резника, на глазах у всех разорвав Левины запрещенные книжки, и главное — ожог, операция, да, мучительные, но она осталась красавицей. Следы ожога на шее — ну и что? Она никогда не открывает шею, в этом ее шарм, тайна. Ожог, который мог бы стать постоянным напоминанием «не суй свой нос в чужой вопрос», вся эта история в целом не испугала ее, а подтвердила — у нее все получается, она двигает миром.

Но ведь Алена узнала только часть правды, поплатившись за нее ожогом, оставалось самое главное интересное — почему родители лгали? И почему они всю жизнь скрывали, что у мамы есть родная сестра Катя?

Когда Ольга Алексеевна объявила дочерям, что они с папой, как настоящие коммунисты, удочерили сироту — и вот она, Нина, — Нине указали ее спальное место, диван в «классной» комнате. Выяснив, что Нина не чужая им, а сестра, Алена решила — между тремя сестрами Смирновыми не должно быть никаких секретов, никакого неравенства, они будут спать рядом. Нина, лежа рядом с девочками на перетащенном из «классной» диване, символе сестринства и протеста против взрослых, из благодарности выложила то, что прежде знала про себя и молчала. Андрей Петрович — ее отец. В дневнике бедной мамочки Кати не раз упоминался Андрей Петрович. «Андрей нас увез», «Андрей к нам приезжал», «Для Андрея будет плохо, если я вернусь» и даже «Андрей просил прощения». Это было очень волнующе, как будто в романе, — три девочки, три сестры лежали рядом и пытались раскрыть тайные козни и интриги своих родных...

Продолжение романа было за Аришей, большой любительницей произведений сестер Бронте. Аришина версия была такая: сестры, старшая Ольга и младшая Катя, любили одного человека — одного и того же человека. Ольга вышла за него замуж и родила Алену с Аришей, а Катя родила Нину. За страстную незаконную любовь с ее мужем старшая сестра выгнала младшую из дома.

История соперничества двух сестер выглядела убедительной. Что же, как не ревнивая обида Ольги Алексеевны, могло быть причиной желания оставить Нинино родство со Смирновыми в тайне? Алена с Аришей вслед за Ниной уверились в том, что их пусик — отец Нины.

Сложную многоходовую ложь про Нину придумала Ольга Алексеевна, а Смирнов, когда она ему ее озвучила, неодобрительно крякнул, не хотел пускать в свой дом ложь. Как бы он теперь крякнул, узнав, что предстал героем-любовником в глазах собственных дочерей, а чужая Нина считает его родным отцом!..

История, какой ее сообща придумали девочки, получилась некрасивая. Измена, месть, вранье и даже некоторая жестокость — ведь не сказать удочеренной сироте, что она своя, родная по крови, в некотором роде жестоко. У Нины была привычка к общему безобразию жизни, жизнь с пьющей матерью не оставляла места для иллюзий насчет человеческой природы, и она отнеслась к вранью Смирновых как к плохой погоде, дождь ли, снег ли, все бывает, и все это жизнь. Аришино взаимодействие с миром было как нежное касание, она легко и незадумчиво обрадовалась, что у нее, как в романах Бронте, нашлась потерянная в детстве сестра, и так же легко и незадумчиво приняла родительское лицемерие, ложь ее не обидела, а придала всему приятно романтическую окраску. А вот Алена испытала недоумение и ярость — как так?! Отец — и так неблагородно... И изменил... и увез... и врал... и раз так, я тоже не хочу!..

Алена больше не хотела быть идеальной девочкой. Как Наташа Ростова не удостаивала быть умной, так Алена теперь не удостаивала учиться. Объявила, что больше не желает быть комсоргом, бросила спорт, бросила музыку, — за ней, конечно, бросила Ариша.

— Но что же входит в круг твоих интересов, если не учеба, спорт и общественная работа? Ты же всегда была идеальная девочка, — недоумевала Ольга Алексеевна.

— Спортсменка, комсомолка, отличница? Не хочу я быть этим всем... Это пошло.

— Пошло быть комсомолкой? Думай, что говоришь.

— Пошло, пошло, пошло!.. — приплясывала Алена.

Все, что случается с нами, случайно случается? Алена не захотела быть этим всем из-за того, что ее замечательный отец врет, как обычный человек. А если бы не это, она осталась бы спортсменкой-комсомолкой-отличницей?

С презервативами ясно, это символ взрослости, но что означают адреса на запечатанных конвертах? «Лондон, Би-би-си», «Женева, Комиссия по правам человека» — за такие адреса можно получить немалый срок по 70-й, политической, статье. Что это, Алена — дурочка или борец за права человека?

А если бы Смирнов узнал, *что* несла Алена робкой английской девочке, боявшейся даже съесть свою овсянку в изысканных интерьерах артнуво?.. Узнал, что Ариша вовсе не из сестринского добросердечия уступила Алене волнующую возможность проникнуть в иностранную жизнь? Но разве родители знают что-нибудь о своих детях, кроме совсем неважного?..

...Врут, они врут... Тогда она тоже!..

А что «она тоже»?.. Тогда она не будет хорошей девочкой. И что, кстати, было написано в тех принадлежавших Леве Резнику «плохих книжках», которые она разорвала в кабинете директора? Где их можно прочитать? Хочу плохие книжки, хочу, хочу!.. Хочу все, что нельзя! Вот какими были последствия этой истории для Алены.

Где прочитать?.. Нигде. Но это только кажется, что нигде, на самом деле цепочка сложилась самым неожиданным и простым способом.

В мае этого года, в конце девятого класса, Нина придумала поздравлять ветеранов войны Толстовского дома с Днем Победы. Каждому ветерану полагались тюльпан и открытка, на каждой открытке Нининым почерком было написано: «Горячо поздравляем Вас с Днем Великой Победы, спасибо Вам за то, что мы живем в свободной стране». Арише досталось тридцать открыток, и она честно выполнила общественное поручение, обошла тридцать квартир в Толстовском доме, каждому ветерану преподнесла тюльпан и открытку — и лично от себя сказала застенчивое «спасибо».

Последний «непоздравленный» ветеран по фамилии Маврин по смешной случайности проживал на первом этаже в подъезде Смирновых. До сегодняшнего рейда Ариша была лишь в одной коммуналке, у Левы Резника, та была светлая, ухоженная, живая, а сегодня, обходя ветеранов войны, брезгливая чистюля Ариша насмотрелась всякого и нанюхалась всякого, но эта была какая-то особенно неприятная, — как мрачная безлюдная пещера. Арише было немного не по себе, неприятно идти по грязному полу, и казалось, даже воздух здесь был грязным, и очень стыдно, что блокадники и ветераны живут вот так.

Ариша с тюльпаном наперевес проследовала за открывшей дверь соседкой по длинному темному коридору, постучалась в комнату ветерана, шагнула через порог и вытаращила глаза — где я?! Ариша удивилась, и кто бы не удивился!.. Комната была будто из другого времени. Большая, заставленная мебелью, как мебельный склад, — мебельный склад из другого времени. Кресла красного дерева в стиле «жакоб» вокруг украшенного бронзовыми вставками круглого столика, на столике миниатюра 18-го века, детский портрет под треснувшим стеклом в бронзовой рамке. Под ножку столика для устойчивости подложен картонный пакетик из-под молока за 7 копеек. Огромный шкаф посреди комнаты, у окна еще один шкаф поменьше, буфет, в буфете фарфор с кобальтовым с золочеными арабесками бордюром, еще один столик с витой ножкой, на нем пасхальные яйца... Картины, книги, а комнате — никого.

«Как в кино... Сейчас этот ветеран ка-ак выпрыгнет...» — подумала Ариша и тоненько начала в пространство:

— Поздравляю вас с Днем Победы... Спасибо вам за ваше... за наше...

— Оставьте формальности, деточка, — сказал голос. — На кухню идти не нужно, у меня тут есть все для чаепития... Вы меня не заметили? Загляните за шкаф.

Ветеран оказался старушкой — Нина не дописала последнюю букву в фамилии, и фамилия стала мужской.

Ольге Алексеевне Ариша сказала скороговоркой:

— У нас на первом этаже живет ветеран войны, одна очень одинокая блокадная старушка, она уже десять лет не выходит из дома, она по нашему двору в блокаду саночки возила, можно я буду ее иногда навещать?..

Ольга Алексеевна кивнула:

— Отнеси ей к празднику продуктовый набор... Положи в пакет коробку конфет, индийский чай, банку растворимого кофе... еще сыр можешь взять. И на этом все. Навещать — однозначно нет. Нельзя. — Ольга Алексеевна посмотрела в чистейшие Аришины глаза и, устыдившись, добавила: — Ладно, можешь навещать ее иногда. Но только после того, как я сама с ней познакомлюсь.

Ольга Алексеевна нанесла Аришиной подшефной старушке визит. То есть Ольга Алексеевна не думала наносить визит. Возвращаясь вечером с лекции в Университете марксизма-ленинизма, она вошла в подъезд и уже нажала кнопку лифта и вдруг подумала — «зайду проверю, что там, в этой коммуналке», но вышло, как будто она нанесла визит.

Блокадная старушка оказалась не просто старушкой.

Знакомство Ольги Алексеевны с блокадной старушкой в точности походило на сцену из романа Диккенса «Большие надежды» — Ольга Алексеевна увидела человека, диковиннее которого никогда еще не видела. Дама преклонных лет с мужским крупным носом и белыми буклями была одета во все белое, но все это белое, включая букли, было белым когда-то давно, а теперь местами пожелтело, местами посинело. На шее и на пальцах дамы сверкали драгоценные камни — Ольга Алексеевна видела такие украшения только на картинах старых мастеров в Эрмитаже.

— Не удивляйтесь, милая... От папеньки уже, можно сказать, ничего не осталось... сейчас проедаю кузнецовский фарфор, — сказала «старушка-блокадница», поймав изумленный взгляд Ольги Алексеевны. Так и сказала — «от папеньки», как в кино про дворянскую или помещичью жизнь.

— Вы очень красивы, дорогая. ...И главное, порода, породу не скроешь... В вашем роду не было... — она наклонилась к Ольге Алексеевне, интимно понизив голос, — дворян?..

— В каком роду?.. Бабушка и дедушка со стороны отца умерли, когда я была маленькой, а со стороны матери... Я о них ничего не знаю. Мой муж — партийный работник. Мой отец был партийным работником, — сказала Ольга Алексеевна, как будто это многое объясняло, во всяком случае объясняло ее незнание своих корней.

— Как это печально. Многие советские люди ничего не знают о своих предках дальше дедов и бабок, словно они не люди, а из рода обезьян... Мой папенька проследил историю нашего рода до начала восемнадцатого века. Но не расстраивайтесь, вы хотя бы знаете, что в вашем роду одни партийные работники.

Ольга Алексеевна уловила иронию, но не рассердилась, улыбнулась — какие наивные глупости болтает это чучело. Неужели она должна рассказать девочкам о том, что их дед, ее отец, при Сталине сидел, должна показать справку о посмертной реабилитации матери? Кто же рассказывает детям такие вещи? Ольга Алексеевна была достаточно умна, чтобы почувствовать себя плебейкой и не обидеться.

Конечно же, Ольга Алексеевна, в отличие от дочери, поняла, что у белой дамы все антикварное, дорогое: и мебель, и фарфор, и драгоценности, и безделушки. Стиль «жакоб», императорский фарфор и миниатюры XVIII века Ольге Алексеевне были, как выражался Смирнов о том, что было ему неведомо и безынтересно, «глубоко до жопы». Она ничего о стиле «жакоб», императорском фарфоре и миниатюрах XVIII века не знала. Правда, про гамсуновские кресла знала из «Двенадцати стульев» и мысленно улыбнулась — не спрятаны ли бриллианты в затейливом кресле, на котором сидела подшефная старушка? Весь этот хромой, треснутый, дореволюционный антураж так сильно ее озадачил, что она не удивилась бы, если бы «старушка-блокадница» действительно достала из-под обивки бриллианты. Но окончательно смутить Ольгу Алексеевну не удавалось еще никому, и она тут же собралась и строгим голосом кадровика поинтересовалась — а кто же, собственно говоря, старушкин папенька. Папенька блокадницы оказался ничего особенного — не революционер, не знаменитый писатель, а всего лишь потомок дворянского рода... прежде ему принадлежало целое крыло Толстовского дома и половина магазинов на Троицкой улице, ныне улице Рубинштейна...

— Не стоит рассказывать Арише про дворянскую жизнь и вообще настраивать ее на сказки, — решительно сказала Ольга Алексеевна, кивнув на стоящий у кресла столик.

— Но чем именно может повредить Арише этот стол?.. Я, конечно, немного его испортила, ставлю на него горячий чай, но все же это ампир, XIX век. — Дама озадаченно осматривала свой колченогий столик через очки в детской пластмассовой оправе.

Ольга Алексеевна поморщилась, еще раз взглянув на раскрытую Библию на столике. Да она издевается над ней, что ли?! Паясничает, как клоунесса, студенты в таких случаях, кажется, говорят «стебется», ужасно гадкое слово. Кстати о словах — что за речь у нее? Она что, забыла, что сейчас восемьдесят второй год? Одна тысяча девятьсот восемьдесят второй, а не одна тысяча восемьсот восемьдесят второй. Сколько, кстати, этой мумии лет — сто, двести?..

Дама обезоруживающе улыбнулась:

— Не так много, как вы подумали, всего семьдесят восемь. ...Но я не выжила из ума, конечно, я понимаю — Библия... Вам не стоит опасаться, я не причиню вреда вашей прелестной дочери. Ариша редкая девушка, настоящая русская девушка, от природы склонная к самопожертвованию. Прежде такие девушки становились сестрами милосердия... Я вам покажу альбом с фотографиями моих родных на войне, я имею в виду Первую мировую войну, взгляните, какие лица... И вот еще взгляните на портрет моего деда, тут у меня альбом Русского музея... А вот папенька сразу после блокады...

...Кстати о блокаде — Ольга Алексеевна недоумевала, как же сохранилось все это богатство, почему не было сожжено, продано, проедено во время блокады? В общем, все это — блокадница в антикварном интерьере в коммуналке на первом этаже — выглядело сомнительным. Аришина сердобольность не доведет ее до добра.

Дама показывала фотографии, листала альбом Русского музея, журчала ее речь, и Ольга Алексеевна, совершенно от природы не внушаемая, неожиданно поплыла...

Андрею Петровичу все это — странное — было преподнесено как «больная интеллигентная блокадница... Ариша будет иногда приносить ей хлеб и молоко, это не займет много времени». Сочетание слов «блокадница» и «хлеб» было магическим, как ленинградец может запретить приносить блокаднице хлеб, даже если ленинградец не коренной, а хлеб из булочной напротив?.. Запретить дочери навещать

одинокую больную блокадницу было не по-партийному, и Смирнов скрепя сердце разрешил.

— Тимуровка, понимаешь... Ладно. Если ей так
приперла эта старая барыня на вате через жопу ридикюль, пусть ходит, манер там всяких наберется...
Пусть держит ухо востро, и вообще...

В каком смысле держать ухо востро? Не влип-
нуть в историю, которая наверняка заведется вокруг
одинокого богатства, не попасть под чуждое буржу-
азное влияние, не набраться слишком много хороших манер, с осторожностью стирать пыль с Биб-
лии, чтобы не опрокинуть колченогий столик, —
Андрей Петрович не объяснил. То, что в скором времени произошло в доме старой барыни на вате, закончилось трагически. Но не для всех фигурантов,
с Аришей ничего плохого не случилось.

Вскоре Ольга Алексеевна поняла — отношения
Ариши с блокадницей не ограничиваются тимуров-
ским сбегать за хлебом, бросить сетку в угол и ум-
чаться быстрее лани. Ариша уходила днем под предлогом почитать блокаднице газету, а возвращалась
вечером — она там что, к стулу прилипает?.. Ольга Алексеевна не любила русскую классику и не за-
далась вопросом, а нет ли у старушки-блокадницы
племянника-студента, в общем, не спрятан ли в ста-
рушкином шкафу резвый молодой человек. И напрасно. Потому что классический племянник-сту-
дент все же обнаружился.

Племянник — тетушка называла его Мишенька — из того же дворянского рода, но из ссыльных, сосланных и затем осевших в Сибири. Мишенька, хороший иногородний мальчик, приехал в Ленинград учиться, поступил в педагогический, чтобы вернуться в Сибирь учителем русского языка и литературы, жил в общежитии, к тетке приходил в гости. Похоже на любимый девочками Смирновыми фильм «Покровские ворота», только, в отличие от солнечного Костика-Меньшикова, Мишенька был не циничный, хорошо приспособленый к столичной жизни человек, а опасно наивный и полностью погружен в литературу. И в православие. Тетка считала, что интерес к православию у Мишеньки наследственный — в их роду были священники.

С Аленой Мишенька познакомился случайно. Алена в коммуналке на первом этаже ни разу не была и в тот раз вызвала Аришу, постучав с улицы в окно, и на стук во двор вышли Ариша с Мишенькой. Его реакция на Алену была стандартная, как у всех, — влюбиться, ухаживать, жениться! Ухаживание длилось недолго, всего одно свидание, и Алена перевела его в друзья — Мишенька был для Алены «еще маленький и совсем не мужественный». Впрочем, на первом свидании Мишенька успел сделать многое. Мишенька привел Алену в квартиру на Боровой. Он был счастлив учиться в Ленинграде еще и потому, что нашел эту квартиру на Боровой, где брал почитать религиозные и философские книги.

Мишенька совершенно не имел в виду никакой диссидентской деятельности, он хотел читать религиозные сочинения, на Боровую приходил, будто у него там библиотечный абонемент, и Алену повел в квартиру на Боровой из скромности, предположив, что он сам, собственной персоной, такую красавицу не заинтересует, но вот книги, книги же интересны всем!.. Но на Боровой именно что происходила деятельность. Люди собирались, читали диссидентскую «Хронику текущих событий», передавали письма в лагеря — Мишенька даже не понимал, что все это — нельзя, что за это срок.

Как Мишенька попал в эту жизнь, кто его туда пустил?! Его даже в магазин одного нельзя было пускать!.. А не то что пароли, адреса, явки... Закончилось все очень быстро, но иначе и не могло быть с Мишенькиной солнечной наивностью; как с профессором Плейшнером, воздух свободы сыграл с Мишенькой злую шутку, и, как профессор Плейшнер, он не заметил цветок на подоконнике... Мишенька был арестован, мгновенно осужден и отправлен в лагерь.

Во время обыска в общежитии были изъяты три богословские книги и машинописная копия журнала «Община», издаваемого Христианским семинаром. Мишенька был арестован по обвинению по статье 70 УК РСФСР — распространение антисоветской литературы. По этой статье предполагались различные сроки, в зависимости от того, было ли это деяние совершено с целью подрыва власти или нет.

Следователь договорился с Мишенькой, что он получит минимальный срок за то, что покается на суде. На суд пригласили корреспондента «Ленинградской правды», но тут произошло неожиданное. Немужественный Мишенька отказался раскаяться в чтении православной литературы, был приговорен к пяти годам лагерей и трем годам ссылки. Срок Мишеньке дали непомерно большой, не по деянию, и даже следователю было Мишеньку жалко.

На Алену история с Мишенькой произвела такое впечатление, будто у нее на глазах волк загрыз овечку. «Я не позволю ему пропасть ни за что!» — сказала Алена. Но как *не позволить*?.. Выйти на Дворцовую площадь с требованием освободить Мишеньку, объявить голодовку?.. Если бы она любила его, она бы поехала за ним, как декабристка, но сам по себе Мишенька был ей совершенно не интересен... Алена отправилась на Боровую узнать адрес лагеря — «Пермь-35», а узнав, собрала Мишеньке посылку: старая ондатровая шапка Андрея Петровича с дачи, его же огромный лыжный свитер, книги, почему-то три тома Фейхтвангера... и заставила Аришу написать Мишеньке письмо.

— Но ведь это ты ему нравилась? И о чем мне писать?..

— Как тебе не стыдно, человек сидит в лагере за то, что верит в Бога, а ты!.. Напиши, что ты читала, какое кино смотрела, подробно напиши, про что кино...

Теперь раз в месяц Ариша писала больше десяти писем — какая погода в Ленинграде, что проходили в школе, что читала, смотрела, и про что кино, старалась, чтобы слова были теплые и хотя бы немного разные. Адрес у всех писем один — «Пермь-35», лагерь, в котором отбывал наказание Мишенька. В первом же письме Мишенька попросил ее написать нескольким одиноким политзаключенным — неважно, что она напишет, важно, что им кто-то пишет. Письма без обратного адреса Ариша кидала в почтовый ящик в Купчино, это была придуманная Аленой конспирация. Ездить в Купчино Арише приходилось одной, потому что Алене ездить было некогда.

К чести старой барыни на вате, все это безобразие творилось за ее спиной. Конечно, она никогда не позволила бы Арише, дочке партийного начальника, переписываться с политзаключенным. О том, что Ариша пишет Мишеньке, она не знала, тем более не знала о том, что Ариша написала десятки писем в лагеря незнакомым людям, которым никто, кроме нее, не писал. Но запретить Арише приходить она не смогла, не было у нее сил отказаться от дружбы этой прелестной девочки. К тому же сейчас не сталинские времена.

Нине о письмах в лагерь не рассказали. Алена сказала — меньше знаешь — крепче спишь. И что первое правило сохранения тайны — ни с кем о тайне не говорить. Она и сама это правило выполняла. Ариша, например, не знала, что книги, которые приносит Алена, — из квартиры на Боровой.

С посетителями Боровой Алена не подружилась. Она была зоркая девочка и кое-что подметила. Хозяин дома и его друзья-мужчины показались ей умными и благородными, а женщины были все чем-то похожи — некрасивые, одинокие. Прагматичная Алена не верила в их приверженность идеям, у них это было не инакомыслие, а неумение быть счастливыми. Но книги на Боровой брала — как бы мстила системе за Мишеньку.

Мог ли Смирнов представить, что у него под носом спрятана антисоветчина?! Листки папиросной бумаги, на которых был напечатан «Архипелаг ГУЛАГ», были вклеены в обложку учебника по биологии. Учебник биологии иногда лежал в тайной сумочке у Тани Кутельман, а иногда в ящике с Алениным бельем — кружевные немецкие лифчики, трусики «неделька», между трусиками «понедельник» и «вторник». Побывали там и другие книги, обложки которых испугали бы Смирновых явно нездешним, несоветским видом.

«Архипелаг» прочитал почти весь класс, и это просто чудо из чудес, что все осталось в тайне. Сама Алена не прочитала ни одной книги, у нее была потребность действовать, а не читать.

В разгар спора, кто пойдет в «Европейскую», Алена сказала:

— Мы напишем письмо. Пусть по Би-би-си расскажут, что его посадили за то, что он верит в Бога. Его освободят и отправят на Запад. И ты — черт с тобой, иди в «Европейскую». Передашь письмо этой англичанке. Скажешь ей, чтобы отправила письмо в Англии. ...Ну как?.. Я молодец?

— Лучше ты иди, — сказала Ариша.

...Люди проходили по улице Бродского, бывшей Михайловской, мимо «Европейской», обтекая вход взглядом, как будто гостиница была невидимой или находилась в параллельном мире. В определенной степени так и было — это был параллельный мир. Как и другие интуристовские гостиницы, «Европейская» была островком иностранной жизни в Ленинграде, и хотя вход в иностранную жизнь охраняло не трехголовое чудище, а всего лишь швейцар в ливрее, простому гражданину войти в гостиницу было невозможно, как на секретный объект. Если, конечно, гражданин не являлся валютной проституткой, фарцовщиком и прочей городской нечистью. Был, впрочем, еще служебный вход с площади Искусств, через него пропускали персонал и переводчиков. Но не такова была Алена, чтобы в красивую жизнь с заднего входа...

Алена бросилась в парадный вход «Европейской», как тигр через горящий обруч.

— Эй, ты чего? — Швейцар схватил ее за рукав. — ...Ты в списке? Сейчас позвоню, проверю... Паспорт покажи и дуй через служебный вход.

Дрожали губы, коленки, дрожало что-то внутри. А если он потребует открыть сумку? Пытаясь поддержать в себе кураж, Алена мысленно произнесла, как будто прокричала на площади перед толпой народа: «Тоталитарный режим подавляет личность! В СССР нарушаются гражданские права! Академик Сахаров объявил голодовку! Я требую, чтобы наши войска вывели из Афганистана!»

Алена улыбнулась швейцару фирменной улыбкой Мэрилин Монро, словно пульнула в него всей своей золотистой прелестью, и швейцар махнул рукой:

— Ну, проходи уж...

— Почему на «ты»? — высокомерно сказала Алена и еще раз повторила как заклинание: «Борьба за права человека, свобода личности, свобода...»

Увидев девочку из Манчестера, рыжеватую, блеклую, но совершенно не накрашенную, в старых джинсах и куцем свитерке, Алена слегка смутилась — не выглядит ли она в своих кружевных колготках глупым советским павлином в стиле диско.

— Hello! Do you want to speak Russian?* Сегодня нас повезут на «Аврору», меня там в пионеры принимали. Потом Петропавловка, там пушка. Потом Эрмитаж, там Рембрандт. ...Ты чего, боишься меня? Не бойся, я тебя не укушу... Ну, хочешь, давай по-английски. In the evening will have some martini. Do you like martini? I like it**.

...Вечером Алена сидела в баре одна. Она была зла, как только бывает зол ребенок, вместо ожидаемой конфеты получивший фантиком по носу. Девочка из Манчестера оказалась на удивление скучной и серой, даром что иностранка, в Эрмитаже ни одного художника не узнала. Алена про себя называла ее «английская коза». Боится собственной тени, отказалась пойти в бар...

Неделя, которую Алена должна была провести с англичанкой — Пушкин, Павловск, Петергоф, Русский музей, — теперь воспринималась ею не как приключение, а как трудовая повинность. Нужно использовать это время хоть с каким-то толком — насладиться иностранной жизнью. В баре «Мезо-

---

* Привет! Хочешь поговорить на русском? (*Англ.*)
** Вечером выпьем немного мартини. Ты любишь мартини? Я люблю. (*Англ.*).

нин» на втором этаже пышный интерьер русского модерна, негромкая спокойная музыка, запах ванили и хорошего кофе, и сигаретный дым здесь другой, иностранный.

Алена сидела посреди всего этого иностранного, как иностранка, взрослая, красивая, с длинной коричневой сигаретой... как иностранка, у которой нет ни копейки, то есть ни цента. Это же был валютный бар, а откуда у нее валюта? У нее была пачка «Моге», подарок Виталика Ростова, и она просто сидела и курила одну сигарету за другой, и ее уже начало тошнить, как вдруг... «Европейская» была сказка, и совершенно как в сказке — как вдруг...

— Хотите что-нибудь выпить?.. Кофе, бокал вина?

Алена напряглась — это КГБ. Молодой мужчина, не парень, а именно молодой мужчина, был красив, не по-советски одет, и — у него есть валюта!.. Конечно, он из КГБ. Следующий вопрос будет: «А ну-ка покажите, что у вас в сумочке!»

Письма в защиту Мишеньки уже лежали на дне потертой нейлоновой сумки с надписью «Манчестер». За день, проведенный по программе «Аврора» — Петропавловка — Эрмитаж, Алена полностью подчинила себе английскую козу, та и не пикнула, когда она положила письма на дно ее сумки и строго сказала: «Ты. Никому не показываешь. Дома отправляешь. Если кто-нибудь в Ленинграде их увидит, меня посадят в тюрьму». И уточнила — честно говоря, девочка казалась ей туповатой: «Если хоть один человек в Ленинграде увидит эти письма, меня убьют, поняла?» Девочка преданно кивнула и, как кегля, бухнулась на кровать. Алена еще из номера не вышла, а английская коза уже спала.

Сообразив, что КГБ ей в данный момент не страшен, Алена принялась шалить:

— Я с англичанами работаю по линии Дома дружбы, а вы?.. Вы переводчик или вы из КГБ? ...Я ду-умаю, что вы капитан КГБ... Вы хотите предложить мне поработать на благо родины?.. Шпионов поймать?..

— А вы хотите помочь?..

— За кем-то шпионить? Да! А я смогу?..

— Обычно мы не используем людей без подготовки. Но вы... Вы красивая, умная и... есть одна деталь. Нам нужна девственница. Вы девственница? Тогда можно попробовать.

Алена застенчиво потупилась, изобразив на лице остервенелую готовность к действию. И вдруг поменяла курс:

— У вас нет чувства юмора. Я пошутила. Я не имею дела с КГБ.

— Я тоже пошутил. Расслабьтесь, никто не покушается на ваши идеалы и на вашу девственность. Жизнь вообще не такая, как вы себе придумали. ...Но вы не расстраивайтесь, вы просто еще маленькая.

«Капитан КГБ» Алену перешутил, переиграл, и это было обидно, как проиграть в «дурака», как будто ее нашли в игре в прятки, да еще это изысканно обидное, на «вы» — «вы еще маленькая». Она ведь, несмотря на светскую живость, нахальство, уверенность в своей красоте и шестую уже сигарету «Моге» в тонких длинных пальцах, была еще маленькая.

В номере, куда Алена поднялась, легко вскочив на его нарочитую подначку «ну, если ты не маленькая, выпьем в номере?..», она приготовилась к тому, о чем они так много говорили с Таней — боль, кровь, постараться не закричать, в общем, с достоинством перейти в новое состояние. С достоинством, а не как Нина, потерявшая девственность, можно сказать, у всех на глазах.

«Капитан КГБ» Алену не принуждал, не обманывал, не настаивал, он, как в детстве, поймал ее на слабо. Но напрасно он считал, что переиграл эту красивую нахальную девицу с решительными не по возрасту манерами.

«Есть ли у вас план, мистер Фикс?» — «Есть ли у меня план? Да у меня целых три плана!» Алена пошла в номер не на слабо и не в угаре влюбленности с первого взгляда, у нее, как у мистера Фикса из ее любимого мультфильма, всегда был план, и не один, и сейчас она действовала согласно плану.

Девственность отдают любимому человеку... Кто это сказал? Ах, русская литература? Она сама будет решать, а не русские писатели девятнадцатого века. Первый раз по любви, все так говорят... Ну и что?.. Первый раз, значит, по любви, а второй как — из интереса или за деньги?.. Она сама будет решать, а не какие-то «все». Приблизительно такие были у Алены на этот счет мысли.

Когда придет любовь — неизвестно, а девственность была несвобода. Во-первых, другие знали то, чего не знала она. Во-вторых, Алена не терпела закрытых дверей. В детстве, на даче в Сестрорецке, пятилетняя Алена вытребовала себе право выходить за калитку, и Андрей Петрович ей это право торжественно дал — при условии, что она никогда эту калитку не откроет. Алена этим иезуитским соглашением осталась довольна: она не выйдет, но знает, что может выйти. Девственность была, в сущности, закрытой дверью, а недевственность — границей, за которой секс станет ее личным выбором.

Можно сказать, что Алена обдумала потерю девственности как естествоиспытатель, решив, что лучше так — красиво, с взрослым опытным мужчиной, чем со сверстником, торопливо, неумело, опасаясь, что сейчас придет мама с работы, и назначив местом эксперимента номер гостиницы «Европейская».

Но даже в случае с многоумной Аленой человек всего лишь предполагает. Нужно было ей все-таки довериться русской литературе, тогда она могла хотя бы предположить, какой страшной силой является пол. «Обрыв», «Крейцерова соната», «Леди Макбет Мценского уезда», весь Достоевский... да, и уверенность Раскольникова «я право имею» тоже имела к ней некоторое отношение. Вера, бедная Лиза, все эти чистые девушки, любопытные к велению плоти, с размаха совершившие грехопадение и за это наказанные, незримо витали над кроватью в номере «Европейской». И все ее высокомерие, исследовательский интерес к сексу, самоуверенность, все эти глупости сдуло, как шелуху, понесло по ветру. Алена вышла из номера сладко влюбленной в своего Капитана, изнеможенной, беспомощной, наполненной новыми ощущениями, — ей повезло, ни боли, ни крови, ни неловких усилий, ее тело было храмом, чем-то священным, чему он был готов молиться, с такой нежностью он касался ее.

Капитан просил ее не стесняться своего тела, говорил, что ее тело такого теплого тона, встречается только на картинах старых мастеров. Она лежала на кровати голая, в одном шарфике, он провел рукой по ее телу, от шарфа и вниз, до сомкнутых ног. «Сними шарф, я люблю всю тебя, и твой шрам тоже». Она мотала головой — ни за что, ты испугаешься, но он нежно снял шарф и поцеловал шрам, а потом поцеловал ее всю. В деревне, куда они однажды ездили с отцом, Алена видела, как бабушка из сливок венчиком сбивала масло в большой деревянной плошке и затем отошла куда-то, оставив плошку на подоконнике. При воспоминании об этих поцелуях она почувствовала себя тающей на солнечном подоконнике массой... а от силы эротических импульсов ее даже затошнило.

Алена летела по Невскому мимо Гостиного Двора, Катькиного сада, Дворца пионеров, по Аничкову мосту — счастливая, как нимфа, весь день плескавшаяся в фонтане, а вовсе не проводившая экскурсию на «Авроре», где нимфу когда-то принимали в пионеры. Смотрела на мир прозрачными голубыми глазами рассеянно и нежно, ласкала взглядом весь мир, будто своего Капитана, из всего мира она одного видела сейчас Капитана, и каждый сантиметр его груди стал для нее важнее, чем... чем все на свете. Она бежала и думала: эти мужчины и женщины, что шли ей навстречу, были вокруг нее, они — *любили*!.. Она даже подумывала, не крикнуть ли ей на весь Невский: «Люди, теперь я с вами! Любить прекрасно! Я люблю!» Алена считала себя «уже женщиной», даже не поняв, что в прямом, физиологическом смысле девственность она так и не потеряла.

...И словно орнамент, окаймляющий рисунок от края до края, завершил этот день скандал, симметричный утреннему скандалу, — опять юбка.

— ...Моя дочь ходит как проститутка!..

Алена сбросила куртку, сняла шарфик, Андрей Петрович наткнулся взглядом на ее шею, помрачнел. Он закричал: «Юбка блядская, колготки блядские!», поймал взгляд Ольги Алексеевны, в котором читался упрек: «Опять плохие слова, опять орешь на ребенка». Но ведь как объяснить — как только он видел рубцы на шее Алены, в нем поднимались невыносимая жалость и боль, от этой боли он начинал кричать еще громче.

— Я сказал, ты в этой юбке из дома не выйдешь?.. Сказал?..

— Это не та юбка, та была красная, а эта черная... — уточнила Алена. — Это вообще Танина юбка, я у Тани утром взяла юбку и забыла обратно переодеться... А колготки у меня просто порвались, это Танины колготки... — И привычно заныла: — Ну что ты, ну пу-усик...

И тут произошло немыслимое. Смирнов развернулся, ушел на кухню, вернулся к Алене, двигаясь как-то странно, боком. Держа правую руку за спиной, подошел к Алене, занес свободную руку над ее головой — Алена наклонилась, чтобы он ее, ладно уж, погладил, — сгреб влажные от бега золотые кудри в кулак и отхватил ножницами сколько смог. Но даже в бешенстве, не помня себя, он не смог причинить ей боль, держал несильно и бормотал посказочному звучащую приговорку: «Дома сиди, никуда не ходи». Получилось: длинные кудри волнами, и одна прядь отрезана до уха — совершенно авангардистская картинка.

...К ночи у Алены была короткая стрижка.

— Сколько у тебя волос, как у Мальвины, я уже устала тебя стричь, — ворчала Нина, стоя позади обмотанной простыней Алены. На полу валялись золотые пряди.

— Он думает, я его прощу. А я никогда его не прощу... — громко и четко сказала Алена из-под простыни.

# ДЕКАБРЬ

## ДНЕВНИК ТАНИ

*6 декабря*

У Алены сейчас только два чувства — любовь и ненависть. Она говорит только о том, как любит своего Капитана и как ненавидит отца.

Это наш разговор о любви.

— Он красивый, тип Штирлица, то есть Тихонова, такой благородный, с печальными глазами! Конечно, моложе Штирлица, лет тридцати. ...Он поцеловал меня туда...

— Что ты как дурочка — туда, сюда, там, здесь!..

— А как еще я могу говорить, если для этого нет нормальных слов?.. Пожалуйста, я буду называть все своими именами... Он поцеловал меня...

— Не смей говорить гадости!..

— Хорошо, я буду показывать. Жесты тебя устроят? Он поцеловал меня...

— А ты что?..

— А ты что?.. А он что?.. — передразнила Алена. — ...Он сказал: «Раскройся, дай мне тобой полюбоваться... чтобы я увидел твою розочку...» Я закрыла глаза и долго-долго не открывала, как будто уплыла... А когда открыла, он сказал: «Твоя розочка — это самое красивое, что я видел».

— Разве не у всех одинаково?

Алена посмотрела на меня, как воспитательница детского сада на ребенка, который опять писает мимо горшка.

— Нет, у меня очень красиво, — гордо сказала Алена. — У нас было как в «Эммануэль». Ты помнишь, про что кино?..

Мы смотрели «Эммануэль» у Виталика. Раздельно, как будто в баню ходили, девочки в женский день, мальчики в мужской.

— А если он сутенер?..

— А если он людоед?..

— Ты не слишком храбрая?

— А ты не слишком трусливая?.. Если ты будешь бояться нормальных взрослых людей, тебе придется на первом курсе переспать с однокурсником. ...Капитан сказал, что нет ничего более отвратительного, чем юношеский секс, оба думают только о том, получится или нет.

За несколько дней, проведенных с Капитаном, Алена много чего узнала!

Капитан сказал, что презервативы используют только мужчины, которые спят с дешевыми уличными шлюхами. А все нормальные люди делают это без презервативов. Алена выбросила из своей сумки презервативы.

Мы знаем о венерических болезнях из «Ямы» Куприна. Есть страшная болезнь — сифилис и не очень страшная — гонорея. А что еще бывает? Кажется, больше ничего нет.

— Ну, не знаю. Он ведь вообще-то «первый встречный». А вдруг...

— Я его люблю.

— Ты полюбила человека за два дня? А что, если он хочет сделать из тебя валютную проститутку?

Алена выставила вперед подбородок. Если она выпятила подбородок, с ней лучше не спорить.

— Он рассказал мне, как становятся валютными проститутками.

Капитан сказал, что это девочки-студентки из нормальных семей. Некоторые с самого начала этого и хотели. Как в анекдоте про валютных проституток. «Как случилось, что вы, дочь профессора, стали валютной проституткой?» — «Просто повезло».

Других на чем-то поймали и шантажировали. Заставили сделать это один раз.

После одного раза девушка уже так повязана, что ей никогда не вырваться, она уже и проститутка, и стукачка. Но она уже не хочет одеваться в обычную одежду, курить не «Мальборо», а «Космос». Не хочет поступать в институт, чтобы пять лет учиться и потом работать за сто двадцать рублей в месяц.

— Меня на этом не поймать. Во-первых, я уже эти схемы знаю. Во-вторых, у меня папа. Я бы справилась с ними в два счета. Пришла бы к отцу и сказала, что меня шантажирует КГБ, и им бы еще попало. Кстати о папе...

Вот наш разговор о ненависти.

— Мои отношения с этим человеком закончены.

Глупо называть своего отца «этот человек». Тем более стрижка ей идет. Глупо говорить, что любишь человека, которого знаешь всего несколько дней.

Но не могу же я все время ее одергивать и критиковать, как будто я ее мама.

Сейчас два часа ночи, а я не сплю.

Когда Алена ушла, мне стало очень грустно.

Я все-таки спросила Алену о самом страшном варианте:

— А если он кагэбэшник?

И что она ответила!!!

— Знаешь что?.. Нельзя так односторонне подходить к КГБ. Мишеньку посадили подлецы, но КГБ — это не только подлость и шпионство за всеми нами.

Есть еще государственная безопасность. Ну, страну же надо защищать?! Вот он и защищает. В «Европейской» могут останавливаться шпионы.

Алена борется за права человека, а влюбилась в капитана КГБ!

Наша единственная в жизни с Аленой ссора была месяц назад. Я тогда не описала ее в Дневнике из конспирации, а сейчас думаю — кому нужен мой дневник?!

Она дала мне почитать одну книгу. Пусть это будет Дюма «Три мушкетера». Или нет, это был учебник биологии.

Когда я ей эту книгу возвращала, Алена сказала, что я должна передать ее кому-нибудь, в ком я уверена. Я отказалась.

— Ты даже не прочитала... этот учебник биологии, ты даже не знаешь, сколько человек погибло в ГУЛАГЕ. Тебе важно, что ты против.

Папа говорит, что есть Сахаров, перед которым мы преклоняемся, а есть бездельники, которые работают дворниками, сторожами, операторами котельной, они и не хотели образования, выбрали диссидентство не как идею, а как образ жизни.

Я не хочу, как говорит папа, «кусать жирное тело социализма», я не хочу, чтобы меня посадили, я не хочу быть оператором котельной, я хочу учиться. Мой папа больше делает для человечества, чем они.

Я отказалась.

— Я боюсь за родителей. А тебе все равно? Подумаешь, пусть твой отец сойдет с ума от горя, когда тебя посадят, а его выгонят с работы!

Алена улыбалась так презрительно, как будто она борец за идею, а я ничтожество!

— Если бы для всех было главное, чтобы родители не расстроились, то революции бы не было. И Сахаров бы не объявил голодовку! А для вас самое главное — ваша личная семья...

Мне было так обидно, как будто волна на Черном море захлестнула меня с головой: вода в глазах, во рту, в носу.

— «Вы» — это евреи?.. Для нас, евреев, важна семья? Важнее, чем для вас, русских?

Алена молчала, выставила вперед подбородок.

— Какая мешанина у тебя в голове! Все в одну кучу: и революцию, и Сахарова, и евреев. Евреи, наоборот, очень идейная нация! В революции очень много было евреев, и сейчас среди правозащитников много евреев. Ты говоришь как антисемитка...

— Я антисемитка, я?! Я ходила в синагогу! — закричала Алена.

Она осенью ходила в синагогу с Левой и дядей Илюшей на какой-то праздник, она ходит повсюду из протеста. Они там стояли рядом с синагогой в толпе, а через час приехала милицейская машина, и милиционер в рупор закричал: «Товарищи евреи, ваш праздник окончен».

Мы с Аленой в школе целую неделю не смотрели друг на друга. Наверное, затронули друг в друге что-то глубоко личное.

Конечно, я понимаю, Алена неизмеримо лучше меня. Этой книгой она помогла мне понять, в какой ужасной стране мы живем. Все бесполезно, все равно ничего не изменится, но борьба за хорошее — это уже хорошее.

Но все не могут быть героями! Кто-то Спартак, а кто-то — триста спартанцев.

А кто-то идиот. Идиотами в Древней Греции называли людей, которые просто жили и наблюдали, что происходит. Как я.

Я думала, Алена меня никогда не простит. Я даже думала побежать за ней и сказать: «Я передам кому-нибудь «Архипелаг». То есть учебник биологии. И будь что будет. Посадят так посадят».

Но потом я подумала — зачем я ей? Идиот не может быть другом Спартака.

Всю неделю я считала, что мне предстоит прожить всю жизнь одинокой. Мужчины у меня будут, а такой подруги не будет никогда.

Но Алена меня простила. Сказала, что у нас не принципиальные расхождения, а просто она не боится ничего, а я боюсь всего.

Сейчас уже три часа ночи, а я все еще лежу без сна и завидую. Алена влюбилась в кагэбэшника, против всех своих идеалов. Алене все равно, за что бороться — за права человека или за свое личное право на секс. Ну и что?!!!! Зато она живет, а я записываю.

* * *

Манчестерская девочка боялась остаться без Алены даже по дороге в аэропорт, это было единственное желание, которое она внятно высказала. Алена провожать ее не хотела — чем больше времени она потратит на английскую козу, тем меньше времени проведет с Капитаном, да и проводы в аэропорт не предполагались программой. Но все же Алена поехала в аэропорт — убедиться, что письма в защиту Мишеньки благополучно покинули страну.

Девочка не могла отлипнуть от Алены, обнимала, обещала писать и даже всплакнула. Алена пообещала писать в ответ и, притворно всхлипнув, подумала — хоть бы английскую козу не досматривали!.. Алена махала девочке, пока та не скрылась из виду, — и тут же забыла, как ее зовут. Она почти не волновалась за письма, скорее от атмосферы аэропорта, отлета, путешествий, — все у нее было так прекрасно, так легко, празднично, удача несла ее, как ветер, все будет прекрасно, потому у нее просто не может быть ничего плохо.

В этом не оставлявшем ее ни на секунду праздничном настроении она приехала в «Европейскую», которую уже по-свойски называла «Европой», и, кивнув знакомому швейцару, уже не спрашивающему у нее пропуск, полетела на второй этаж, в «Мезонин», где ее ждал он. У них куча времени, сегодня она может прийти домой позже — самолет улетел в семь вечера, а она скажет — в восемь... нет, в десять.

— Капитан, капитан, улыбнитесь... — пропела Алена, подкравшись сзади и закрыв ему глаза руками, и он поцеловал сначала одну ее руку, потом другую.

Очень легко и нежно он попросил ее завтра прийти в скромной одежде, похожей на школьную форму. Зачем?..

— Ты должна вести себя как будто ты в первый раз, как будто ты боишься... особенно почему-то шведы это любят, уж не знаю почему... Загадочная шведская душа.

...Алена перебирала фотографии. На одной крупным планом ее запрокинутое лицо, шея со следами ожога. Зачем это, ведь она никогда не открывает шею, только ему... И как он сфотографировал ее, что она не заметила?..

Капитан выкладывал перед ней фотографии на стол по одной, как карты в покере. Алена лежит на кровати с закрытыми глазами, с сомкнутыми ногами, в одном шарфике, на следующей все то же, но уже без шарфика, на следующей, четвертой, она ле-

жит на спине, уткнувшись головой в спинку кровати, — каре. Алена даже не очень удивилась, наверное, подсознательно все же ожидала чего-то подобного. Одно только — не смогла удержать лицо, на
ее лице на мгновение как будто занавес поднялся, и
взамен привычной насмешливой уверенности обна-
ружилась новая картина — растерянность и обида.

Алена оглянулась по сторонам, вид у нее был
словно кричит — помогите!.. И как радистка Кэт
в родах кричала «мама», так Алена откуда-то из глубин себя вдруг шепотом произнесла самое свое со-
кровенное, спасительное — папа...

— Что ты сказала? Папа?.. Папа дома, — улыбнулся Капитан.

С этой его улыбкой, открывающей мелкие зубы,
на кого он похож? На крысу, как же она не увидела — он похож на крысу!..

— Мой папа... — охрипнув от бешенства, про-
шипела Алена. Она хотела сказать — ты знаешь,
кто мой отец, он тебя в порошок сотрет! Но если
он узнает, кто ее отец, испугает это его или откроет дополнительные возможности для шантажа, ведь
фотографии можно и в райком послать... Алена
представила, как пакет вскрывают секретари, и —
о, порнуха... да это же дочка первого... И осторож-
но, будто прежде чем войти в реку, попробовала ногой воду, добавила: — ...Мне семнадцать лет. Я не-
совершеннолетняя.

— А что, какой-то подлец лишил тебя невинности? Ай-ай-ай, как нехорошо, есть статья за совращение малолетних. ...Только вот какая штука — девственность твоя при тебе. Если, конечно, ты со вчерашнего дня не успела с кем-нибудь переспать. Сходи к врачу, он над тобой посмеется. А это, — Капитан показал на фотографии, — это твой личный разврат...

— Тебя посадят. Или давай договоримся. Мне нужны негативы. Денег у меня нет. Есть кольцо и цепочка... два кольца и две цепочки. Я все равно не буду... девственницей. Я не буду проституткой. Тебе меня не заставить.

Девочка вызвала у него восхищение — не заплакала, не вцепилась в него, не ткнула ему своей длинной коричневой сигаретой в лицо, не заныла «пожалуйста, отдай...», а вся превратилась в *что делать*, сидела и напряженно думала, а, подумав, принялась торговаться. И глаза напряженные — торгуется, как опытная торговка на рынке, а сама просчитывает ситуацию.

Именно этим Алена сейчас и занималась — просчитывала ситуацию. Сейчас нужно понять, знает ли он, кто ее отец.

В эти долгие часы, проведенные в постели, их разговоры крутились в основном вокруг секса. Он попросил рассказать об ее сексуальном опыте, так и сказал — «сексуальный опыт», и она рассказала.

Восьмой класс — учитель физкультуры, подсаживал ее на канат и ловил при прыжках через козла. Девятый класс — мальчик, который гладил ей грудь два часа, сначала она взволновалась, а потом соскучилась. Мерзкий, похожий на муху человечек в метро, прошептал ей на ухо: «У тебя уже выросли волосики?» и исчез, она содрогнулась от отвращения, но потом, вспоминая это, чувствовала возбуждение. И наконец, старик в автобусе, она не понимала, почему он рядом с ней терся, а он вышел за ней на остановке и сказал: «Не уходи, дай я кончу», и она закричала на всю улицу: «Как вам не стыдно, вы же старый человек!» Капитан засмеялся — почти весь ее сексуальный опыт был в транспорте. Поцеловал ее и сказал: «Ты меня расстраиваешь, ты была сексуально привлекательна с самого юного возраста, я бы хотел, чтобы это все было мое...» Почему же она не замечала, что он похож на крысу?..

Она успела кое-что рассказать ему о семье, как ей трудно с папой и как она его ненавидит. Но на вопрос «А кто у нас папа?» ответила: «Да так, никто, инженер». Ей все же не окончательно отказал разум, помнила, что про отца — нельзя. Ни словом, ни намеком не проговорилась о деталях, которые могли бы выдать его положение, — ни о черной «Волге» с водителем, ни о госдаче, ни о чем!..

Алена приободрилась. Ее не поймали ни на чем серьезном, ни на долларах в кармане, ни на антисоветском высказывании. Пока Капитан не знает, кто ее отец, у нее есть шанс выпутаться. Что лучше использовать — угрозу или подкуп? Или комбинацию первого и второго?.. Главное — вроде бы не главное, но главное, — ни за что не проиграть ему в этой игре, не уступить.

— Фотографии сделал ты, значит, с кем я спала — с тобой! А ты меня напоил. Подмешал мне чего-то, у меня потом весь вечер живот болел, моя подруга подтвердит. Чем ты меня напоил?.. Ты учти, если что, я такого навру, что тебя вообще из органов выгонят!.. Бери кольца и цепочки, нам обоим выгодно все забыть и... и все.

Капитан улыбнулся:

— До этого у нас была эротика, а это у нас уже порнография... Знаешь, чем отличается эротика от порнографии? В эротическом кино не показывают крупным планом половые органы.

Капитан выложил следующую фотографию. Алена взглянула и отшатнулась.

— Что это?..

На фотографии была женщина в таком ракурсе, какого постеснялись бы даже создатели «Эммануэль». Разведенные в стороны ноги, и все, во всех подробностях... Ох! Не может быть, что это она! ...Нет никаких сомнений, что это она, — вот следы ожога на шее, а вот и шарфик, шарфиком завязаны глаза...

— Ты говорила, у папочки с тобой воспитательные проблемы?.. Теперь папочку на работе заругают за то, что его девочка плохо воспитана — расставляет ноги перед чужими дяденьками. ...А вообще-то папочка когда-нибудь видел порнуху? Пускай папочка посмотрит на розочку своей девочки! Посмотрит на твою... — Одними губами он произнес грубое слово, которое Алена, конечно же, знала, но вот так предметно, применительно к своей личной анатомии, не слышала ни разу в жизни.

Две серо-голубые дамы, чинно сидящие за соседним столом, увидели, как юная красавица, только что ворковавшая со своим бойфрендом, вскочила и, выплеснув ему в лицо его же бокал с вином, помчалась к выходу, что-то выкрикивая на ходу.

— Сволочь, дрянь, мудак, скотина! — кричала Алена. Нельзя сказать, что она была не в себе, как раз *не в себе* она была, когда изо всех сил пыталась не расцарапать физиономию Капитана, а сейчас она наконец-то *пришла в себя*. — Тебе меня не заставить! Я не беззащитная! Я не жертва, ты понял, крыса?.. Крыса, крыса! Засунь свои фотографии себе в жопу!

— She is a real Russian romantic girl, like Natasha Rostova...* — сказала одна серо-голубая другой.

---

* Настоящая русская романтическая героиня, как Наташа Ростова... (*Англ.*)

Ленинградская декабрьская гадость, сверху то ли дождик, то ли снег, снизу то ли лед, то ли лужи... Прохожие на улице Бродского, бывшей Михайловской, неодобрительно оглядывались на несущуюся, как таран, золотоволосую девочку; мужчина, оцепеневший от летящей на него красоты, не успел посторониться, и золотоволосый таран врезался в него, вместо извинения испепелив препятствие взглядом. Алена мчалась вон из иностранной жизни, как лиса, которой подпалили хвост.

...Люди всяко-разно отзываются на фрустрацию. «Всяко-разно» — это выражение Левиной бабушки Марии Моисеевны, очень точное выражение — люди реагируют на свои несчастья всяко-разно.

Ариша, к примеру, при каждой самой малой неприятности впадает в тихое отчаяние, замирает, как притворяется мертвым простодушный жучок — раз уж все пропало, я тоже пропаду... А Таня тут же принимается анализировать — ей кажется, что она осуществляет глубокий анализ ситуации, но все, в сущности, сводится к «я сама виновата». Вроде бы раскопать, как именно мы «сами виноваты», полезно — в следующий раз поможет избежать ошибок, но правда состоит в том, что ничего подобного, мучительная рефлексия ни фига не поможет. Ни от чего мы анализом не убережемся, нигде не подстелем, только измучаемся. И хотя полное отсутствие интереса к своим мотивам, побуждениям и тому подобным Важным Вещам выглядит отчаянно детским — так ребенок, ударившись о стул, изо всех сил лупит кулачком стул, — простая добрая ярость на обидчика, как ни странно, *лучше*.

Алена, конечно, не избежала некоторой доли досады на себя — ведь она оказалась такой идиоткой! Как дура... Она попалась как дура! Как девочки, про которых рассказывал Капитан... Она думала, что эти девочки — наивные беспомощные одуванчики, что плохое случается с другими — по глупости, а с ней ничего плохого не случится никогда, она смелая, красивая, удачливая, умная... «Как же, умная», — ворчала про себя Алена. Теперь она близко к «Европе» не подойдет... Дура-дура-дура!.. Но страстная Аленина ярость была направлена на подлую крысу-Капитана.

Решение было принято, вернее, ей даже не потребовалось принимать решения.

Она все расскажет отцу. Этот... эта крыса вздумала ей угрожать — ей! Он что, всерьез думает, что она испугается и станет проституткой?! Ха-ха. В предвкушении унижения Капитана Алена даже притормозила, сладко усмехнувшись, как лиса на картинке в детской книжке. Себя саму лиса с подпаленным хвостом ни в чем не винила — вот еще, а вот Капитан — он у нее попляшет!

Алена так вся сгруппировалась для одного только — победить крысу-Капитана, что даже не думала, как она скажет отцу, будет ее признание красивым «я влюбилась», откровенным «я спала» или застенчивым «я... ну, ты понимаешь...». Она думала об этом вполне хладнокровно, как будто не о себе, а о другой девушке, чье поведение, несомненно, было не лучшим, но вот так уж она себя вела, эта *другая* девушка...

Как-нибудь скажет! Ну, всплакнет, ну, соврет что-нибудь, схитрит, подлижется, вовремя покажет следы ожога... Не убьет же ее пусик! ...Пусик, пусичек, любимый, самый главный, самый сильный!

...Андрей Петрович с Ольгой Алексеевной разговаривали на кухне. Смирнов изучил материалы дела. Это было трудно — не его область деятельности, а он был тугодум, тяжело ворочал мозгами. В подпольном цеху шьют футболки, а дальше он ничего не понял, разозлился — почему он должен читать про сраные футболки?! Смирнов в сердцах стучал кулаком по толстой папке, но от того, что было в папке, зависела его жизнь, и он старался, вникал, втискивал себя в бухгалтерские документы, как бульдозер — в извилистую лесную тропинку. Пока вдруг все не стало ясным, возмутительно наглым в своей простоте. Почему сразу не написали простыми словами?! Трикотажной фабрике спускают план на детские майки. Из трикотажа, предназначенного на майки, подпольный цех производит футболки с рисунком «Волк и заяц» и надписью «Ну, погоди!». Детская майка стоит рубль двадцать, а футболка — восемнадцать рублей. Фабрика отчитывается за якобы сшитые дешевые майки, а цеховики реализуют дорогие футболки через торговые организации. Смирнов не поленился, подсчитал на калькуляторе доходы цеховиков — огромные получились деньги. Но вот вопросы — сырье цеховики получали за взятки у фабрики, а кому они платят за фонды, за оборудование? И каким таким образом на одну детскую майку и мужскую футболку идет одинаковое количество материала? А кто закрывает глаза на то, что вместо маек получает футболки?

Ольга Алексеевна не понимала, что так удивило его в этой схеме. Схема подпольного производства всегда одна и та же: государственное сырье поступает в теневую структуру, подпольный цех производит продукцию, которая сбывается через государственные торговые организации. Очевидно, что в схеме есть еще сотрудники руководящих структур, прикрывающие всю цепочку.

— Ты посмотри, что делается в стране! Цеховики шьют все: обувь, одежду, шубы... В стране воры производят продукцию! — возмущался Андрей Петрович.

«Воры производят» — оксюморон, но чуткая к таким вещам Ольга Алексеевна не обратила внимания на алогичность выражения, она наконец поняла: это его преувеличенное удивление, возмущение — попытка скрыть от нее что-то по-настоящему плохое.

— Андрюшонок?..

— Да что ты как не знаю кто... лезешь без мыла в жопу... — огрызнулся Смирнов и тут же виновато заторопился: — Олюшонок, прости... Ну, как-то все разом навалилось, Алена прямо как черт какой-то...

— Андрюшонок, что-то еще случилось. Нам сейчас нельзя никаких ЧП... Ты и так попал как кур в ощип!

— ...«Черт какой-то» — это обо мне... «Кур в ощип» — это обо мне?.. — из коридора крикнула Алена. Она вбежала в дом и, чтобы не дать себе времени подумать и забояться, не раздеваясь, бросилась на голоса родителей. Сейчас она скажет: «Пусик, прости меня» — и с этой минуты будет хорошей девочкой.

— Пусик, прости меня... — сказала Алена, прижалась к отцу, вдохнула родной запах, потерлась головой о его грудь, поцеловала галстук.

— Олюшонок, ко мне! ...Девочки, давайте жить дружно. — Андрей Петрович держал Ольгу Алексеевну и Алену в объятиях, как в домике, и ласково бурчал: — Ничего, девчонки, сейчас у меня жопа, но ничего, сейчас любая мелочь может меня свалить... сейчас я вишу на ниточке... вишу... но мы еще посмотрим, кто кого...

В его голосе была беспомощная обида сильного человека, привыкшего распоряжаться всегда послушными обстоятельствами и не по своей вине потерявшего руль, и Ольга Алексеевна вздрогнула в его руках, как от внезапной боли, и Алена непонимающе вздернула брови — что это с пусиком?.. Несколько секунд они стояли, обнявшись втроем, молчали.

Поздно вечером, когда все спали, Алена выскользнула из дома, поднялась на последний этаж, оттуда на чердак, и через треугольное слуховое окно выбралась на крышу. Подошла к краю, встала у низкого, по щиколотку, ограждения, закурила. Фирменных сигарет у нее больше не было, по пути домой она купила «Космос».

Алена подслушала, что у отца неприятности, в тот самый день, когда он решил отправить ее в иностранную жизнь, и это Алену совершенно не тронуло. Не тронуло и сейчас, она не придала ни малейшего значения его словам «любая мелочь может меня свалить». Как всякому ребенку, жизнь казалась ей неразрывным полотном, положение отца незыблемым, — как и то, что родители будут всегда. Вот только это его «висю»... «висю» ее както царапнуло. Но все равно пусик — сильный, непобедимый, главный. Он справится со всем, что бы она ни натворила. ...И вдруг ей пришла в голову больная безобразная мысль: когда пусик представит, что она сделала, что его любимая девочка сняла джинсы и расставила ноги, чтобы впустить в себя какого-то урода, он умрет, умрет на месте... Или ничего, не умрет?..

Алена подвинулась к самому краю, теперь носки ее туфель упирались в проволочное ограждение. Она посмотрела вниз — во двор въехал синий «Москвич» Резников, остановился у их подъезда, Левин отец вышел из машины, открыл багажник... Алена смотрела и улыбалась — с крыши «Москвич» казался игрушечной машинкой, Левин отец игрушечным человечком, в игрушечном мире есть свои заботы... и поняла, как все на самом деле легко — шаг, один маленький шажок, и все ее проблемы решены. Алена сделала шаг — шаг назад, развернулась, направилась к слуховому окну — чердак, шестой этаж, пятый...

* * *

— Стучать не буду, лучше умру, — сказала Алена. Она и правда была готова умереть, только бы не стать стукачкой.

— Киска, у тебя тупые советские представления о жизни — почему сразу стучать?

— Не смей говорить мне «стучать на друзей не нужно, надо помочь Родине», я не такая дура!

Капитан посмотрел на Алену с выражением «а по-моему, *такая*».

— Что я должна делать?

— Все. Как в анекдоте: «Девушка, что вы делаете сегодня вечером?» — «Все». Да не смотри ты на меня как на врага...

Алена смотрела на Капитана как на врага... А в разговоре с врагом мы думаем о себе и только о себе. Напряженно думаем, что нам делать, как нам не проиграть, как переиграть врага, но наш враг — он ведь *тоже думает*, а вот это мы, как правило, опускаем. Если бы Алена не была так поглощена своими чувствами — она должна защитить отца, найти способ покончить с этим и отомстить, — она бы заметила, что Капитан был крайне удивлен, увидев ее снова.

Он был удивлен, что она вернулась, и даже отчасти испуган. Девчонка не выглядела покорной жертвой, она и сейчас выглядела так, что каждому было ясно — она из мира привилегий, ей ни с чем не нужно бороться, перед ней нет препятствий. Почему она вернулась?..

Он просто решил ее попугать. На самом деле у него ничего на нее не было. Она ведь сама сказала: фотографии несовершеннолетней — сомнительная вещь. Девчонка не дура, ох не дура... Почему она вернулась?

Но раз уж вернулась...

— Неприятных клиентов у тебя не будет, это я тебе обещаю. Деньги можешь забирать сразу, а можешь оставлять пока у меня, забрать, скажем, через полгода, набежит большая сумма... Что? Ты должна быть дома не позже девяти?.. Киска моя детсадовская... Теперь самое главное.

Если бы Капитан узнал, почему Алена вернулась, он бы уверился в этом своем «такая дура», и многие, почти все, согласились бы с ним. Логика — а Алена обдумывала свое решение с абсолютно холодным носом, стараясь отключить себя от эмоций, — логика была за то, чтобы признаться отцу и попросить о помощи. Но ее решение было против всякой логики, абсолютно безумное, и сама Алена, сознавая, насколько оно безумное, даже отчасти стыдилась своей сентиментальности.

Принять решение оказалось проще, чем выслушать «самое главное». Алена, что было при ее красоте и положении понятно и простительно, была искренне убеждена, что ничего плохого с ней не случится, что на самом краю придет спасение, что она — неприкасаемая. Совсем как глупый чиновник у Салтыкова-Щедрина, который считал, что волки в лесу не тронут, не посмеют тронуть его, человека в мундире... Что с ним произошло, его сожрали? Конечно, сожрали... Самое главное было — от нее требуется быть девственницей, ее будут продавать как девственницу.

«Все не так», — подумала Алена. Это было первое горестное знание в ее жизни, первое и очень глобальное — *все не так*. Отец — не Главный и Сильный, она не неприкасаемая, любовь на самом деле подстава, цена некоторых вещей не сразу ясна, и иногда приходится заплатить больше, чем собирался, и в самой трудной ситуации человек всегда один. Отнеслась Алена к этому новому для себя знанию философски и с долей азарта, взглянула на Капитана, как боксер в нокауте, который, утирая кровь, поблескивает глазами: сегодня я побит, но завтра будет завтра, и мы еще посмотрим, кто кого!.. Ну, а следующая мысль Алены была: «Хорошо, что успела передать письма в защиту Мишеньки».

...В квартире на Боровой Алена побывала еще один раз, на прощание. Принесла книги, а новые не взяла, мрачно пошутила: «От правозащитной деятельности мне придется отказаться, меня бы саму кто-нибудь защитил...» В ответ хозяин квартиры предложил ей помощь правозащитников... а может быть, ей нужен обычный юрист или врач, к примеру, гинеколог? Жизнь приучила его реагировать на слова как на *всего лишь слова*, а понимать по другим признакам — дрожащие губы, неожиданный жест расскажут больше, чем слова. Эта девочка-красавица упоенно кокетничала, смотрела «в угол, на нос, на предмет», надувала губки, хлопала ресницами и ненароком подставляла взгляду пышную грудь — вылитая Мэрилин Монро, но в девочкиных глазах застыла слишком уж взрослая горечь, пожалуй, даже для настоящей Мэрилин слишком взрослая.

# ДНЕВНИК ТАНИ

*22 декабря*

Пусть на моей могиле напишут: «Она ненавидела математику». Стоило бы ненадолго умереть, чтобы разжалобить, устыдить и поставить на место этих эгоистичных, жестоких, равнодушных к моим страданиям тиранов. Шутка.

А может быть, и не шутка.

Оказывается, человек за очень короткое время может дойти до состояния полной униженности.

Я вздрагиваю, когда ко мне обращаются учителя. Мне кажется, что каждый может в меня бросить камень. Я начала горбиться, и волосы у меня лезут так сильно, что на расческе остается целая прическа. Я не сочиняю больше сценарий, потому что мне кажется, что я вообще не могу сделать ничего стоящего. Я даже почти не пишу Дневник. Это творческий кризис.

Из-за всего этого мне кажется, что я НЕ ТОЛЬКО ТУПАЯ НО И НЕКРАСИВАЯ. ЖАЛКОЕ ЗРЕЛИЩЕ.

Человек в юности не может быть один, считать себя не таким, как все, отдельным. Человеку в 17 лет необходимо ощущать себя частью целого, принадлежать какой-то идее, компании. А если нет, это может плохо кончиться.

А если человек от природы не уверен в себе, то совсем плохо.

Может быть, мне начать верить в Бога? Я могла бы перед сном встать на колени на бархатную подушечку, распустив свои белокурые кудри, как прелестный ангелочек, и молиться: хоть бы меня выгнали из этой школы, выперли, вымели поганой метлой, возможно ли такое счастье?

*28 декабря*

Такое счастье возможно. Меня выгнали. Перед самым Новым годом!

Директриса сказала маме, что она может мной гордиться...

Не могу писать, плачу. Маму вызвали в школу, и мы вместе вошли в кабинет директора. Директриса сказала «забирайте документы», и у мамы сделалось такое жалкое лицо, как будто она вдруг оказалась перед всеми голой. Директриса сказала маме, что она может мной гордиться, что никому еще не удавалось так ловко втирать очки. Меня назвали махинатором и Остапом Бендером. Но это практически синонимы.

Это все мое невезение. Лева три дня не был в школе, уезжал на всесоюзную олимпиаду. Результатов еще нет, но Лева сказал «могло быть лучше». Но это ничего не означает. Лева пошел в дядю Илюшу. Дядя Илюша всегда на всякий случай ждет худшего. Папа считает, это еврейская черта.

Так у кого мне было списывать, пока его не было? Все открылось: и что я списываю, и вся моя система «списывание — выбегание в туалет». Также открылось, что я не понимаю, что списываю.

Мама дрожала. Губы дрожали, руки тряслись. Лучше бы она заплакала, но она никогда не плачет, она сухая и сильная, как ковыль. Говорит, что показывать на людях свои чувства — распущенность!

Директриса сказала «можно учиться и в обычной школе». Она не нарочно ударила маму по самому больному. Что мамина обычная дочь, тупица тряпочная, будет учиться в обычной школе.

— Девочка не виновата, что у нее нет способностей. Может быть, она проявит себя в чем-нибудь другом... Не ругайте ее, — напутствовала маму директриса (добрая, пожалела меня), и мы вышли из кабинета.

— Ну что же делать, мой глупый кот, будем держаться, — мужественно сказала мама, и тут я смертельно испугалась: если она ко мне добра, значит, моя жизнь действительно кончена.

Мы шли по коридору, мама все повторяла «выгнали, выгнали...». Я плакала. Мы прошли по всей школе, по коридору, спустились по лестнице и вышли на улицу. Все это было как в кино: мама выводит свою воющую дочь из цитадели науки. А последний кадр должен быть такой: мы уходим вдаль, от школы, наши фигуры становятся все меньше и меньше, пока не растают.

Что было дома! Господи! Что было!

Папина растерянная улыбка медленно превращается в гримасу, мама на диване в застывшей позе плюс тети-Фирина беготня вокруг дивана с валерьянкой, дядя Илюша курит одну сигарету за другой. При драматических событиях он всегда пьет коньяк и курит, где придется, как в праздник.

— Нет, вы понимаете, какая она неспособная? Даже заслуги ее деда и отца перед советской наукой не позволяют им держать ее у себя, даже из жалости... Она махинатор! Позор, какой позор! Никого, слышите, никого еще не выгоняли из этой школы за обман, она без-на-деж-ная...

Мама говорила что-нибудь ужасное про меня и опять отворачивалась к стенке. Все сидели у дивана и смотрели на нее со скорбными лицами, как будто я умерла и они меня оплакивали.

Хотя как бы я вместе со всеми сидела у дивана, если бы я умерла?

Господи, как бы хоть немного ее утешить. Но как? Даже заслуги моего папы перед советской наукой не позволили им терпеть меня, тупицу тряпочную. Моя жизнь — это череда неудач.

Но еще хуже — папа.

— Неужели ты не могла справиться с программой? Или обратиться за помощью? Или, в конце концов, во всем признаться? Порядочный человек не ставит своих близких в унизительное положение. Это недостойное поведение. Это подлость.

Подлость? Я подлая? Я зарыдала, как раскаявшаяся преступница, как Мария Магдалина, даже начала икать. И тут взорвался дядя Илюша. И закричал:

— Эмка! Я не дам тебе ее мучить!

Тетя Фира с упреком посмотрела на папу, взяла меня за руку и посадила к себе на колени. Зашептала:

— Моя маленькая, моя маленькая мышка. — И погладила меня по голове, и закричала: — Вы! Посмотрите, что у меня в руках! Господи! У нее же волосы клоками лезут!

— Вот! Теперь вы довольны?.. До чего довели ребенка! — простонал дядя Илюша. И сказал: — Господа, вы звери.

У нас с ним много любимых фраз из кино, хотя сам фильм «Раба любви» я не особенно люблю.

Дальше все кричали одновременно.

Дядя Илюша кричал: «Фаинка, ты же мать!» и «Фирка, ты же учитель!».

Мама с дивана кричала: «Вам хорошо говорить, у вас Лева!»

Тетя Фира кричала: «Лева у нас, и Таня у нас! Если ты не считаешь, что у нас общие дети, то иди к черту, Фаинка, мы больше не друзья!»

А папа, как обычно, любовался тетей Фирой.

Если бы снимали кино «Портрет идиотки на фоне великого человека», это была бы кульминация сюжета.

И тут зазвонил телефон. Папа покивал в телефон и сказал:

— Так. Всем тихо. Кое-какая информация. Ну... олимпиадная математика — чрезвычайно закрытый мир, но через цепочку моих аспирантов удалось узнать. Я не обозначал своего интереса к Леве, просто попросил позвонить, когда будут известны результаты. Приятель моего аспиранта дружит с...

Тетя Фира задрожала и быстро скрестила за спиной пальцы, я видела!

— Эмка, не томи! Лева попал в команду на международную?.. — спросила мама. Она заранее светилась, как сорок тысяч звезд. Это ее правило: нужно думать о хорошем. Работает со всем, кроме меня.

— Он попал в команду запасным, — сказал дядя Илюша. Это его правило: нужно думать хуже, а не лучше.

— А разве я не сказал? Простите... Лучший результат. У него лучший результат на всесоюзной олимпиаде. Ну, скажем так... один из лучших.

На секунду все оцепенели в своих позах, как в игре «Замри!», потом мама кинулась целовать тетю Фиру, потом тетя Фира поцеловала папу, потом дядя Илюша обнял папу.

А про меня все забыли!

Вот это настоящая кульминация сюжета «Портрет идиотки на фоне великого человека».

Или развязка?

Да, думаю, это развязка.

И даже есть мораль, как в пьесе Островского: в одном месте убавится, в другом прибавится.

Утром я услышала из спальни родителей странные звуки. Как будто кто-то хрюкал и выл. Я заглянула — мама плакала. Она плакала настоящими слезами и говорила: «Меня никогда ниоткуда не выгоняли, меня ни разу ниоткуда не выгоняли, господи, я же так старалась...» При чем здесь она? Почему она переживает мой позор как свой?

Может, мне нужно было ее обнять? Но она плакала и повторяла: «Уйди, уйди, ради бога». И я ушла. У нас не приняты проявления чувств. Мама может обнять Леву, но меня никогда.

# Январь

## Мука № 2

Когда Фира махала рукой вслед автобусу, отъезжавшему с площади Искусств в Усть-Нарву, она не знала, что Мучение № 2 уже началось.

Проводив взглядом автобус, увозивший Леву в математический лагерь, Фира счастливо вздохнула, — как говорила Фирина мама, «нахес фун ди киндер», нет большего счастья, чем осознание, что твой ребенок идет правильным путем, нет большего счастья, чем уверенность, что делаешь для своего ребенка *все*. Математика — это *путь*. Как балет — не отдашь ребенка в Вагановское училище — не увидишь его на сцене Мариинского театра, и Лева идет по своему пути. Математический лагерь был лагерь в лагере: ребята из маткружка жили в обычном пионерском лагере, но на особом положении, не принимали участия в мероприятиях и целыми днями занимались математикой.

Лева двинулся по своему пути, а Фира пришла домой без Левы. Ликвидировала новогодний беспорядок, затем с наслаждением сделала уборку в Левиной комнате, затем собрала остатки новогодних салатов и понесла Кутельманам, и пока они вяло бродили по дому — накануне сидели до утра, — решила помыть посуду и, начав, не смогла остановиться, пока не убрала всю квартиру, все шесть комнат, затем, вернувшись домой, совершила немыслимое для себя действие — легла на диван. И к вечеру не встала, и к ночи, и на следующее утро, лежала на диване лицом к стенке.

Фира, учительница, завуч, хозяйка дома, бодро-весело справлялась с ежедневной круговертью, но все же уроки-учебные планы-репетиторство-очереди за продуктами-готовка-стирка-тетради... Может быть, она решила воспользоваться впервые за долгие годы выпавшей ей передышкой и *полежать*, масштабно, с размахом, належаться за всю жизнь? Нет. Фира отвернулась от мира и не собиралась поворачиваться к нему лицом. Прошло два дня, три... Прошло пять дней, пять! Фира не встала, и предположения высказывались самые разные.

— Она волнуется, что Лева там ест и вообще, как он... — догадался Илья.

Фира мотнула головой, фыркнула — глупости! Лева, конечно, домашний мальчик, избалован ее безупречным уходом и вкусной едой, но если он похудеет, питаясь скудной столовской едой, не беда. Разве это может перевесить главное — все каникулы он будет заниматься математикой.

— Вставай, бока отлежишь! Поедем в Комарово, на лыжах, — предложила Фаина. — Или пойдем на Петропавловку по льду, как в школе, помнишь?.. А хочешь в театр?.. А хочешь... Фирка, что ты хочешь?!

Фира помотала головой — ничего не хочу.

— Может быть, у нее депрессия... — высказался Кутельман.

«Депрессия» было слово абсолютно не из их обихода, слово из иностранных романов. Как читатели они уважительно сопереживали душевным терзаниям персонажей, но вообразить, что сам страдаешь депрессией, было все равно что отнестись к себе самому как к персонажу романа.

— Депрессия!.. Не смеши меня, эту глупость придумали бездельники, чтобы оправдать свое нежелание активно жить и работать. ...Нет, это что-то конкретное. Она что-то от нас скрывает, у нее что-то со здоровьем... Она не беременна? Не похудела? — сказала Фаина.

Фира подала с дивана знак — не беременна, не похудела.

— Я так и думал — здорова, как корова, — почему-то обиженно сказал Илья и резко, и правда как на корову, заорал: — Вставай! Как тебе не стыдно? Ты что нас пугаешь? Вставай! У тебя что, ноги отнялись?!

Ноги отнялись?.. У нее отняли разом ноги, руки, голову, ее саму у себя отняли. Они не понимали, никто не понимал! Просто ее тошнит, просто она не может, не может... Цветочки на обоях такие красивые, сиреневые лепестки, желтые сердцевинки. Лучше она на цветочки посмотрит.

Фира, конечно, не персонаж иностранного романа и никогда не была избалована возможностью лелеять свое душевное состояние, но... Может быть, все же депрессия?

Симптомы глупости, придуманной бездельниками, были налицо. Подавленность, тоскливое безразличие ко всему — Фира мысленно называла это «плохое настроение», что было не вполне точно, у нее не было *никакого* настроения, сплошной серый фон, будто дождь стеной. Снижение энергии и уменьшение активности — она называла это «я скоро встану». Утрата удовольствия от всего, что всегда было приятно, — это она никак не называла, просто на любые предложения Ильи — ее любимая еда, кино, прогулка, секс — поворачивалась к стенке. Ну, и нарушения сна и аппетита казались естественными: не спит ночью, потому что весь день проводит в полудреме, не ест, потому что не тратит энергии.

На десятый день тревожного Фириного лежания Кутельман зашел посмотреть на Фиру. Посмотрел и сказал: «Вставай, сейчас поедем». Фира привычно пробормотала: «Куда, гулять? Не хочу, не могу...», взглянула на него и вскочила. Бегала по комнате, причесывалась, красила губы, наряжалась и приговаривала: «Это же далеко, Усть-Нарва далеко, Усть-Нарва очень далеко...»

Ехали не быстро, Кутельман был довольно беспомощный водитель, тем более в метель и гололед. Он держал руль немного слишком крепко, почти вцепившись, — Илья говорил, что он неправильно держит руль и что сидит слишком близко, — неправильно держал руль, старался не съехать на обочину, мысленно возмущался неосвещенной трассой. На полдороге до Ивангорода машину занесло, развернуло поперек шоссе, Кутельман занервничал, поехал еще медленней, потом сообразил — нужно успеть до ночи, заторопился, совсем разнервничался и особенно нервничал, что Фира заметит. Когда наконец-то подъехали к мосту, соединявшему русский Ивангород и эстонскую Усть-Нарву, он облегченно вздохнул — успели, и тут Фира сказала «поедем домой, я передумала, не хочу».

Кутельман развернулся молча, не возмутился и не одобрил, не сказал «правильно, привыкай быть без Левы», за молчание Фира была ему благодарна больше, чем за эту безумную гонку в метель и гололед.

Кутельман не стал гадать, почему она передумала. У него было убеждение, почти теория: внутренний мир нормального здорового человека закрыт на замок, «душевная близость», «откровенный разговор», все это плотоядное копание в чужом внутреннем мире, некое душевное людоедство происходит в конечном счете от собственного эксгибиционизма.

Теоретически он «душевную близость» не одобрял, а практически не был на нее способен, заговорить о чувствах, своих ли, чужих, было для него совершенно то же, что впереться в чужой дом с раскладушкой и расположиться на ночь. Но с самим собой у Кутельмана была душевная близость, и иногда он спрашивал себя — что это, любовь? Короткая, как видение, мысль о Фире перед сном, жалость, которую он к ней испытывает, — это любовь? Отвечал он себе неопределенно, «да, нет, не знаю», и понимал, что это единственно правильный ответ. В физике ведь существуют нерешенные проблемы. Чем время отличается от пространства? Почему нарушения СР-инвариантности наблюдаются только в некоторых слабых взаимодействиях и больше нигде? Являются ли нарушения СР-инвариантности следствием второго закона термодинамики или же они являются отдельной осью времени? Есть ли исключения из принципа причинности? Является ли прошлое единственно возможным? Является ли настоящий момент физически отличным от прошлого и будущего или это просто результат особенностей сознания? Как люди научились договариваться о том, что является настоящим моментом?.. Так и любовь. Любовь — это то, что люди договорились считать любовью. У других людей любовь — это секс, страсть, а у него такая. ...Иногда он понимает Фиру, сейчас она не больна, просто у нее, как говорится, сдали нервы. Она ведь очень *полноценная*, даже в Новый год дольше всех веселится, не хочет прекращать праздник и любую эмоцию, горестную или радостную, переживает на высоком градусе. Волнение за Левин результат на всесоюзной олимпиаде, радостное возбуждение от его победы, и тут же страх — международная олимпиада, пустят-не пустят... и вдруг резко усталость, опустошение. Иногда он ее не понимает, как сейчас, она была в нескольких минутах от Левы и не захотела его увидеть. Но ему не нужны объяснения. Фира может вести себя как хочет, а слов ему не нужно.

Дома Фиру ждало письмо от Левы. Письмо было информативное, всего несколько строчек — решаем задачи, еда нормальная. В конце была приписка: «Мама, я очень скучаю, я думаю о тебе перед сном». Фира прочитала и улыбнулась — хорошо, что они развернулись и уехали. Если бы она увидела Леву и опять уехала, она бы не выдержала, умерла. Когда Лева вернется, она сможет поцеловать его, погладить, прижать к себе и больше никогда с ним не расстанется.

Она опять легла лицом к стене, и уже как-то твердо легла, всем своим видом показывая — да, именно так она проведет это время, и не нужно задавать вопросов. Ей оставалось прожить без Левы еще неделю.

«Нет, ну ты, Фирочка, просто из ряда вон», — говорила Фире ее мама, когда та ее удивляла. Фирино Мучение № 2 может показаться надуманным, но на любое «так не бывает» есть достойный ответ «нет, бывает», и нам остается удовлетвориться тем, что Фира — из ряда вон.

Когда Лева вышел из автобуса на площади Искусств, у Русского музея, Фира бросилась к нему, как будто он пришел с войны.

— Мой хороший, я без тебя... Я еле дожила... — сдавленным от нежности голосом сказала Фира и замерла, ожидая, что... Она совсем потерялась в своей нежности, так далеко уплыла, что уже не видела берега. Придется признаться — Фира ожидала услышать: «Мама, я тоже еле дожил...»

— Мой хороший, мой маленький... Как ты?..

— Нормально.

Лева сказал «нормально» и отодвинулся. *И отодвинулся.*

Вечером забежала Фаина, посмотреть на Леву.

— Фирка, а Лева как-то резко изменился, он у нас уже мужчина... Красивый мужчина, как Илюшка, — сказала Фаина. — И голос, как у Илюшки... А помнишь, как ты боялась, что у него навсегда останется тонкий голос?..

— Не помню... — упрямо ответила Фира. Она беспокоилась, что у Левы тонкий голос, как у девочки, даже слегка писклявый, а у него бас.

— ...Лева, я караулю ванну. А после приходи в палатку... — Фира в халате и закрученном на голове полотенце заглянула к Леве.

Помыться в коммуналке было совсем не то, что забежать в ванную комнату в своей, отдельной, квартире. Вечернее мытье называлось у Резников «караулить ванну». Чтобы воспользоваться душем, висящим на кране общей, с пятнами ржавчины, ванны, Фире нужно было вытащить стоящие в ванной соседские тазы с замоченным бельем, затем отдраить ванну, затем уследить, чтобы перед Левой не влез никто из соседей. Фира торопила Леву, понукала Илью, отрывая одного от занятий, другого от телевизора, — «караулить ванну» было нервным общесемейным мероприятием, похожим на план боевых действий.

Лучше бы Фаина не забегала посмотреть на Леву, лучше бы она не смотрела на Леву, лучше бы не говорила... Но Фаина сказала, и Фира увидела, увидела!.. Неужели нужно было с Левой расстаться, чтобы его *увидеть*?.. Лева — совершенно не такой, каким она все это время его себе представляла, отвернувшись от всех к цветочкам с желтыми сердцевинами. Не то чтобы у него появились первые признаки взросления — Леве семнадцать, и очевидно, первые признаки взросления она давно пропустила, — он взрослый! Еще по-мальчишечьи длинноногий, как кузнечик, уже по-мужски широкоплечий, взгляд сосредоточенный, как будто он размышляет, что с этим новым собой делать, и, главное, подчеркнуто отдельный от нее. Ее малыш — мужчина?! Как говорит Илья, сталкиваясь с очевидным, неприятно очевидным, — что вдруг? Звучит анекдотично, но не бессмысленно: мы не хотим признать очевидное, слабо отмахиваемся — только не сейчас, ну почему именно сейчас, *что вдруг*?! Можно верить, можно не верить, но это был шок.

— Приходи в палатку, — позвала Фира, как будто не всерьез, смеясь над маленьким уютным секретом между собой и своим большим мальчиком, не всерьез, но всерьез.

«Палатка» было слово из Левиного детства, Фира брала ребенка к себе в кровать и предлагала — давай играть в палатку. Накидывала на него и на себя одеяло, и там, в темноте, они были только вдвоем, и Лева рассказывал ей все, что нельзя рассказать при свете. Последние годы, конечно, обходились без одеяла, но все главное обсуждалось «в палатке». И не только Лева, Фира рассказывала ему о себе не меньше, чем он ей, и много больше, чем когда-либо рассказывала Илье.

— Придешь?..

— Думаю, палатка себя изжила... Мне нечего рассказать, — сказал Лева, в лице смущение и решимость, как у человека, вынужденного причинить боль, как у Фиры, когда она в детстве мазала йодом его разбитую коленку — больно, но надо.

— Лева, но как же?! — вскрикнула Фира, как раненая птица. — Ты мне ничего не рассказал, я ничего про тебя не знаю... А я, мне-то есть что рассказать...

Фира словно со стороны услышала свой голос, застыдилась жалкой просительной интонации.

— Если что-то важное, давай завтра.

Если важное, то завтра?.. А если не важное, то никогда?.. Если важное, то завтра, а если не важное, то никогда...

«Ох и простая ты, Фирка, у тебя все на лице написано, лицо-то прибереги», — говорила ей мама, и действительно, у нее на лице *все*, но что ей было скрывать — счастье? А вот сейчас-то лицо можно было бы приберечь, лицо у Фиры стало как у девочки, с которой отказались танцевать, *отвергнутое*, как будто никому не нужна, и самой себе не нужна. В голове прозвучало: «Моя жизнь закончилась», и это не был истеричный взвизг, просто тупая, не окрашенная никакими эмоциями констатация факта.

...Дети взрослеют, да, но почему именно сейчас, сегодня?! Она жила без Левы, как с войны его ждала. Ну вот, Лева дома, но где *ее* Лева, ее цветочек?.. Даже осенью Лева на приглашающее к откровенности кодовое слово «палатка» откликался, даже пахнущий алкоголем и сигаретами, оставался маминым золотым малышом! Перед отъездом в лагерь, под утро после Нового года, Лева пришел к ней, лег поверх одеяла, прижался, и она привычно уткнулась в ямку между плечом и шеей, он замер, и она замерла...

Если бы Фиру спросили «ты что думаешь, так будет всегда?», она бы насмешливо улыбнулась, помотала головой — нет, конечно нет. Но подумала бы — да, да! Да, так будет всегда. А если нет, то небо упадет на землю.

Небо упало на землю и сильно Фиру придавило.

# ФЕВРАЛЬ

## ДНЕВНИК ТАНИ

*5 февраля*

День Моего Позора. Я подлец.

Одновременно это Самый Удивительный День в моей жизни. Я должна быть очень счастлива, но я несчастлива.

Алена герой, а я подлец. Между прочим, у слова «подлец» нет женского рода. Это намек на то, что женщина — существо второго сорта, от которого никто не ждет благородства.

Господи, как стыдно, тем более я — еврейка!

Сегодня после последнего урока объявили, что будет комсомольское собрание. Повестка дня — исключение из комсомола Инны Гольдберг. Она эмигрирует в Израиль.

Инка у нас в классе недавно, и она мне не подруга, но это большое потрясение. У всех нас была одинаковая судьба, а теперь ее судьба перевернулась.

Я шла на это собрание как на казнь. Инка не хотела рассказывать, что уезжает, но почему бы ей не предупредить меня, что сегодня ее будут исключать?! Я бы тогда не пришла в школу, чтобы не участвовать в этом. Порядочные люди не ставят других в такие щекотливые ситуации! Или ставят? Наверное, все-таки ставят, а уж человек должен сам решать, как ему себя вести.

Ну, я и решила, как мне себя вести — незаметно улизнуть. Но в вестибюле директриса схватила меня за рукав и грозно сказала: «Кутельман, а ты куда?»

Теперь — внимание! Подробно! Чтобы я никогда не могла сделать вид перед собой, что я это забыла!

Я вошла в класс последней и в изумлении остановилась на пороге. Все сидели на правом ряду, теснились по трое на партах, а в левом ряду сидела одна Инка. Одна! Никто не захотел сесть с ней в одном ряду, как будто она заразная. А на кафедре поставили стулья для директрисы и учителей. Тетя Фира сидела, не поднимая глаз.

Я замерла, как добрый молодец на перепутье дорог, направо пойдешь — совесть потеряешь, налево пойдешь — страшно. Все смотрели на меня, куда я пойду. И учителя смотрели, и директриса смотрела на меня таким специальным взглядом, который очень много чего означает, например, «если ты сядешь с этой, значит, ты одобряешь предательство родины», или «может, ты и сама хочешь эмигрировать», или «у твоих родителей могут быть неприятности», или просто «ты еврейка!».

И я сразу вспомнила, что я еврейка. Нет, не так! Что мне вспоминать, я и не забывала! Она смотрела на меня так, что у меня на лице запылало «я еврейка». Я еврейка, а они русские, они русские, а я еврейка... Они главные, а я подчиненная... Они могут меня исключить, не знаю откуда, отовсюду, из жизни! Но я должна поддержать человека, который сидит один, как прокаженный, которого судят, даже если я не разделяю его взглядов. И я пошла мелкими шагами по проходу, и — правда! я клянусь! — я до самой последней секунды думала, что сяду к Инке, и вдруг не своим голосом сказала «подвинься» и бухнулась четвертой на последнюю парту в правом ряду. Потому что, если бы я села с Инкой, это выглядело бы, как будто нас обеих судят, а я не хотела, чтобы меня судили. Ну вот. Так я стала подлецом.

Директриса сказала:

— Нина, ты комсорг, начинай...

Нина говорила очень искренне:

— Инна! Пусть твои родители уезжают, если хотят, а ты оставайся! Я даю тебе честное слово, что мы все тебе поможем, весь класс, мы все будем твоей семьей. Не бросай свою родину, не предавай страну, которая дала тебе все.

Инка посмотрела на нее, как будто она рехнулась. Нина не подлая, она и правда во все это верит. Но для нее принципы важнее людей, она за свои принципы проедет по нам танком.

И еще она не понимает, что такое семья, мама с папой, потому что ее удочерили.

Потом все голосовали за исключение, и мне уже было не трудно поднять руку вместе со всеми, потому что трудно совершить первую подлость, а потом все пойдет как по маслу. К тому же подлец всегда найдет оправдания своему поступку, и я нашла: зачем Инке за границей быть членом ВЛКСМ? Я закрыла глаза и так, с закрытыми глазами, потянула наверх свою подлую ручонку!

Алена одна подняла руку, что она против. И сказала, что каждый человек должен иметь свободу выбора, свободу самому решать, где жить, что комсомол — это не родина, а Ленинград можно любить и вдали от него. И что Инке не нужно быть комсомолкой в Израиле, но лично она, Алена, из принципа против ее исключения.

После собрания Инка стояла с опрокинутым лицом, и все ее обтекали, словно ее нет. И я тоже. Сделала вид, что тороплюсь. Только Алена подошла к Инке.

Я всегда пишу про Алену одними глаголами, как будто она персонаж в сценарии. Сценарий пишут одними глаголами действия: «подошла», «положила руку», «улыбалась», и никаких «почувствовала», «подумала». Но про некоторых людей так и хочется писать прилагательными. Ариша — персонаж прилагательных, Алена — герой глаголов. А Нина — дура.

А вечером... Это Самый Удивительный Вечер в Моей Жизни.

Я рассказала Леве о своем падении.

— Я предатель чести, и с этим уже ничего не поделаешь, это останется в моей биографии навсегда. Но я торжественно клянусь — я больше никогда, никогда не буду трусить и подличать. Честное слово, я клянусь... Чем клянусь? Я клянусь жизнью!

А Лева сказал: «Какая ты смешная» — и...

Нет, этого не могло быть, никогда! Невозможно, невероятно, нереально! Я подумала, что он утешает меня из-за того, что я предатель.

Лева сказал: «Я тебя люблю».

!!!!!!!!!!!!!!!!!!!!!!!!!!!!!!!!!!!!!!!!!!!!!!!!!!!!!!!

Он сказал!!!!!!!!!!!!!!!!!!!!!!!!!!!!!!!!!!!!!!!!!!!!!!!!!!

Он сказал: «Я тебя люблю».

**Любит МЕНЯ? ЛЮБИТ меня? Но почему?** Лева и я — это как будто на картине «Даная», как будто Бог пролился на меня золотым дождем. Как будто я Буратино и все-таки нашла клад на Поле чудес. Как будто мне преподнесли огромный торт с розами, но я знаю, что он не мой. Торт, а не Лева, но Лева тоже. Лева — гений и античный красавец. Мне по ошибке дали то, что не может мне принадлежать.

Он сказал, что увидел меня другими глазами и понял... и все. Я спросила: «А что ты увидел?»

Он сказал: «В тебе есть секрет».

А в Леве для меня есть секрет? Нет. Про Леву я все знаю.

Я прибежала к Алене с Аришей спросить, какой во мне секрет.

Алена сказала: «Посмотри на себя в зеркало».

Я посмотрела. Если долго смотреть на себя в зеркало, то видишь там не себя, а совершенно незнакомого человека.

Алена с Аришей стояли рядом и говорили, что у меня огромные глаза, длинные ноги и ресницы, необычное мышление, пухлые губы, как у амурчика. Спасибо вам, девочки, я никогда в жизни не слышала о себе столько хорошего. И ни слова о моих недостатках, ни одного намека на мой длинный нос!

Ариша сказала, что это красивая история, что наши с Левой отношения — это продолжение прекрасной дружбы наших родителей. Даже в любви я продолжение своих родителей, а не сама по себе.

Счастлива ли я? Нет! Счастье, которое могло быть безудержным и безрассудным, омрачено историей с моей подлостью.

Да, чуть не забыла — что я ответила Леве. Я сказала: «Я тоже тебя люблю». Это было, как будто я смотрю кино. Про что кино? Про любовь в десятом классе, а не вообще про любовь.

Зачем думать о человеке, которого никогда не увидишь? Зачем читать перед сном стихи из тетрадки, ведь я давно уже знаю их наизусть.

# Март

## ДНЕВНИК ТАНИ

*3 марта*

Вся моя жизнь — ожидание.

Желание вернуть тетрадку со стихами уже превратилось в манию. Сколько раз я была в рок-клубе? «Пикник», «Россияне», «Мифы», «Зеркало»,

Елена Колина

«Меломаны», «Яблоко», «Мануфактура», «Зоопарк», «Странные игры», «Тамбурин», «Патриархальная выставка»... Людей на концертах в рок-клубе сотни, и из других городов приезжают, они знают о концертах, у них своя система оповещения. Я хожу в рок-клуб на все концерты! На все! Но все бесполезно. Его нигде нет.

Она боится огня, ты боишься стен, тени в углах, вино на столе.

Послушай, ты помнишь, зачем ты здесь, кого ты здесь ждал, кого ты здесь ждал?

Мы знаем новый танец, но у нас нет ног, мы шли на новый фильм, кто-то выключил ток, ты встретил здесь тех, кто несчастней тебя, того ли ты ждал, того ли ты ждал?

Я не знал, что это моя вина, я просто хотел быть любим, я просто хотел быть любим...

Она плачет по утрам, ты не можешь помочь, за каждым новым днем новая ночь, прекрасный дилетант на пути в гастроном, того ли ты ждал, того ли ты ждал?..

Того ли я жду, того ли я жду?

Я вовсе не фанат рока!

Тексты мне не нравятся. Кроме «Аквариума». Стихи БГ не кричат, что он свободен, и поэтому он свободен. А у других групп такая агрессия, как будто человеку нельзя даже просто идти по улице, а нужно вырваться, всех раскидать, всех побить. Мелодия тоже есть только у «Аквариума», эти песни можно петь, а у остальных просто скороговорка.

Но сегодня было интересно. Конферансье объявил: «У нас первый раз молодая группа "Кино", давайте будем снисходительны». И вдруг раздался дикий вой, кто-то за кулисами заорал «А-а-а!», и все уже стали озираться, может, пожар. И тут на сцену вышел мальчик восточного типа, очень красиво одетый — золотая жилетка, кружева. Он пел что-то вроде «Я начинаю день, я кончаю ночь, двадцать четыре круга прочь, я — асфальт!». Это было необычно, не как у всех. В зале кричали «Цой, давай!», все хлопали как сумасшедшие, и я тоже.

Конферансье сказал: «Группа "Кино" показала нам кино». Точно, это было кино, не похоже на другие рок-группы. После «Кино» были «Странные игры», мальчики в черных галстуках и черных очочках, хуже «Кино».

И в этот раз все бесполезно, его не было!

После концерта мой сосед спросил: «Хочешь завтра пойти со мной, посмотреть, как Гребенщиков записывает альбом Цоя?» Я ответила, что не отношусь к девочкам, которые вьются вокруг рок-музыкантов.

Елена Колина

Мы сели на Невском на 22-й автобус, переехали через Охтинский мост, вышли на Охте, пришли в Дом пионеров — грязно-серое здание, на последний этаж, по длинному коридору до конца, в студию звукозаписи. Там был усатый-бородатый хозяин студии в домашних брюках и тапочках, Гребенщиков, Цой, его девушка Марьяша, симпатичная, веселая, музыканты «Кино» и ученики Гребенщикова, они ждали, когда у него будет перерыв в записи и он покажет им какой-нибудь аккорд на гитаре.

Я сидела в углу, как забытый в раздевалке мешок со сменной обувью. На полу около меня лежала гитара без грифа. До вечера записали музыку без вокала к двум песням, одна про алюминиевые огурцы на брезентовом поле.

Но все напрасно! Его не было. Глупо было думать, что он может быть в студии, ведь он москвич, но я думала — а вдруг?

Я жду, жду...

Еще я жду ответа из журнала.

Я была на почте на Загородном семьдесят восемь раз, каждый день в течение трех месяцев минус воскресенья.

Когда я иду на почту, я просто несусь на крыльях, я уверена, что меня ждет письмо из журнала с ответом «да». Да, да, да! И что меня ждет слава. И самое главное — мама с папой придут в себя после моего исключения из школы и поймут, что я чего-то стою. Особенно меня волнует папино отношение ко мне. Бедный папа так хотел мной гордиться, но гордиться нечем. Он самый умный человек на свете, его дочь должна быть необыкновенной, а не заурядной бездарностью, полным ничтожеством.

Девушки на почте знают меня, они сразу говорят: «Тебе пишут».

Когда я иду с почты, я еле плетусь, как раздавленная гусеница, притом самоуверенная гусеница, которая почему-то возомнила, что она писатель.

И так 78 раз.

И 78 раз плюс все воскресенья я просыпалась и думала: «Сегодня пришло письмо, а на следующем концерте я его встречу, сегодня пришло письмо, а на следующем концерте я его встречу...»

Если честно, я себя не понимаю! Меня любит Лева, *Лева*, гений, античный красавец, и я его люблю. Зачем я ищу на рок-концертах незнакомого человека, теперь уже без надежды, просто по привычке хожу, ищу. Он невысокий, растрепанный, длинные волосы спадают на свитер, потертые джинсы, я не помню его лица, а вдруг я его не узнаю... Вот дура!

Я люблю Леву. Я его люблю, но не могу!

Ох, нет!!!!!

Я даже писать об этом не могу! Не могу я, не могу писать о себе, о сексе, о моих отношениях с Левой!

Я лучше напишу как будто это рассказ.

241

Елена Колина

# НЕсекс

Он был Пылкий Влюбленный, красивей его и умней не было на свете, и он всегда, каждую минуту хотел обнять, поцеловать, хотя бы прикоснуться к ней. Она тоже его любила, восхищалась им и была благодарна за то, что из всех женщин мира он выбрал ее. Но ей казалось, что рядом с ними всегда незримо находятся их родители, все четверо, и качают головами: «Дети, как вам не стыдно!» Поэтому она вела себя так, чтобы незримые родители уверились, что ей безразлично, прикоснется он к ней или нет, а если прикоснется, то она ничего не почувствует. Это было, как будто ее тело заперли на замок, а ключ забрали.

Но она не была холодной девушкой, и когда он дотрагивался до ее руки или плеча, она в ответ приоткрывала полоску на плече, на груди, а один раз подняла свитер, как на осмотре в медкабинете, и быстро опустила обратно... Когда он дотрагивался до нее, она не могла оставаться совершенно равнодушной, в ней начинали порхать любовные бабочки, но ей всегда что-то мешало. Она знала, что именно. Ей мешал он сам! Как будто любовные бабочки взлетели бы выше, если бы это была не его рука, а чья-то, кого она не знала, рука незнакомца. Более опытные женщины, наверное, посоветовали бы ей представлять все что ее душе угодно, и им обоим было бы хорошо, но она не хотела! Быть с ним, но с незнакомцем было безнравственно и нечестно по отношению к Пылкому Влюбленному.

Но каждый раз после того, как они оставались наедине, после порхания любовных бабочек, она чувствовала печаль, как бывает, когда знаешь, что нужно чувствовать возбуждение, счастье, но не чувствуешь. Или когда получаешь что-то, о чем давно мечтала, а это оказывается не то. Не то, не то!

Ну вот, рассказ. А чего вы ждали, чтобы я описала эротические сцены, как в кино?

* * *

Ольга Алексеевна перечитывала ленинское «Письмо к съезду», то самое, что было написано Лениным незадолго до смерти и считалось его завещанием. Крупская огласила «Письмо к съезду» в 1924 году перед делегатами XIII съезда партии, но нигде — ни в партийной печати, ни в материалах съезда — о Письме не было ни слова. Из-за этой секретности и поползли слухи, что Сталин скрыл завещание Ленина.

Что именно было в завещании, не знал никто, кроме делегатов съезда, и это знание превратилось в черную метку: Сталин уничтожил всех, кто упоминался в Письме, всех, кто Письмо читал, и всех, кто доподлинно знал, что в нем написано. Из делегатов съезда, старых большевиков, к началу войны никого не осталось, а те, кто случайно уцелел, могли лишь пересказывать ленинское завещание у лагерных костров, как былину. В общем, завещание из документа превратилось в фольклор — устное народное творчество.

Ольгу Алексеевну эта детективная история с ленинским завещанием будоражила, волновала, история партии вообще волновала ее, как хороший детектив, с той только разницей, что раз прочитанный детектив уже не увлекает, а в наизусть выученном ею Письме каждый раз открывались новые грани, оттенки, интерпретации. Ну, и конечно, над детективом не плачут, а над 36-м томом Собрания сочинений Ленина Ольга Алексеевна плакала — всегда.

Письмо было рассекречено Хрущевым после смерти Сталина, на XX съезде, он извлек Письмо из небытия — почему-то Сталин его сохранил. Хрущев прочитал Письмо на съезде перед делегатами, желая, чтобы ленинские оценки Сталина помогли дискредитировать тирана. Ольга Алексеевна в душе немного посмеивалась над этой его манипуляцией: что это ты вдруг спустя тридцать лет крови и своей службы тирану призвал на помощь ленинские оценки?.. В сущности, поступок Хрущева ничем не отличался от запрещенного в споре приема «а вот и он тоже говорит про тебя, что ты...», когда для усиления собственной позиции ссылаются на чужое мнение. Но в борьбе с тираном все средства хороши, и кроме того, Ольга Алексеевна любила и жалела Хрущева как родного человека, он казался ей наивно-хитроватым честным вруном, но *своим* вруном, очень своим.

В том же 56-м году, вслед за XX съездом, письмо издали в дополнительном 36-м томе, и этот том Ольга Алексеевна сейчас держала в руках.

«Сталин слишком груб, и этот недостаток, вполне терпимый в среде и в общениях между нами, коммунистами, становится нетерпимым в должности генсека. Поэтому я предлагаю товарищам обдумать способ перемещения Сталина с этого места и назначить на это место другого человека, который во всех других отношениях отличается от тов. Сталина только одним перевесом, именно, более терпим, более лоялен, более вежлив и более внимателен к товарищам, меньше капризности и т. д. Это обстоятельство может показаться ничтожной мелочью. Но я думаю, что с точки зрения предохранения от раскола и с точки зрения написанного мною выше о взаимоотношении Сталина и Троцкого это не мелочь, или это такая мелочь, которая может получить решающее значение».

Ольга Алексеевна перечитывала знакомые строчки, и в ней, как всегда, поднималось волнение — как умен и прозорлив этот человек. «Бухарин не только ценнейший и крупнейший теоретик партии, он также законно считается любимцем всей партии, но его теоретические воззрения очень с большим сомнением могут быть отнесены к вполне марксистским...» А вот о Пятакове. Пятаков — «человек несомненно выдающейся воли и выдающихся способностей, но слишком увлекающийся администраторством и администраторской стороной дела, чтобы на него можно было положиться в серьезном политическом вопросе».

И — вот оно, на этих сточках она всегда начинала плакать: «Конечно, и то, и другое замечание делается мной лишь для настоящего времени в предположении, что эти оба выдающиеся и преданные работники не найдут случая пополнить свои знания и изменить свои односторонности». ...Он отмечает их недостатки лишь для настоящего времени, надеясь, что они изменятся, научатся... Какой великий по нравственным качествам человек! Если бы Ленин остался жив, не было бы московских процессов.

И как всегда, она стала думать: он был человек из плоти и крови, он был болен. Письму предшествовал конфликт Сталина с Крупской, которая требовала беречь Ильича от волнений. Конечно, она была на стороне Крупской и как коммунист, и как женщина. Долг жены — беречь мужа.

Ольга Алексеевна вздохнула и — в тысячный раз — подумала: если бы страна развивалась по ленинскому пути, не было бы крови миллионов, голода, и войны бы не было... И сейчас не было бы зарвавшихся брежневских коррупционеров, не было бы у них с Андрюшей таких неприятностей, не было бы этого мучительного месяца...

С примирения родителей с Аленой прошло три месяца. Их молчаливое объятие втроем было для Ольги Алексеевны болезненно саднящим воспоминанием, она впервые почувствовала Аленину взрослую родность, слабость мужа, ну, и себя соответственно почувствовала слабой и немолодой, и все это *новое* ей не понравилось — лучше бы все оставалось как было: они с Андреем Петровичем непобедимо сильные, а Алена — любимый несносный подросток. Но все это были незначимые подробности внутреннего мира. Ольга Алексеевна держалась безупречно, и чем мрачнее становился Андрей Петрович, тем спокойней казалась она — для него. И, как идеальная боевая подруга, ни разу не произнесла глупого хлопотливого «Ну как там?» или «Что ты мне ничего не рассказываешь?!».

Но ведь она была живая боевая подруга. Молчала-молчала и не выдержала.

— Я не волнуюсь конкретно из-за этой истории с подпольным цехом, просто ты не такой, как бываешь обычно, когда у тебя неприятности... — сказала Ольга Алексеевна.

Это была ложь. Он был совершенно *такой*, а она волновалась *конкретно*, история с подпольным цехом могла закончиться для него плохо, но как именно плохо?..

В Москве продолжались громкие процессы. Новая метла по-новому мела, и мела очень показательно. Звучали слова «борьба с теневой экономикой», «участие московской партийной верхушки в преступных злоупотреблениях», «взяточничество высокопоставленных партийных работников», и даже «злоупотребления ближайшего окружения Брежнева», и даже — !!! — «за взяточничество получил срок секретарь Брежнева»...

Ольга Алексеевна воспринимала все это с восторгом, всей душой была за очищение партийных рядов. Но — ирония судьбы — сейчас очищение партийных рядов было против Андрюши. И совсем уж изысканная ирония судьбы — ее муж был совершенно чист, не замешан в злоупотреблениях и идеально подходил для того, чтобы попасть под кампанию. Избегая аналогии со сталинскими годами, она не говорила «московские процессы», но ассоциация, от которой она не могла избавиться, была, была! В тех московских процессах безвинно пострадали честные ленинцы, а в этой кампании мог безвинно пострадать ее муж, честный человек.

— Андрюшонок, ты понимаешь, что мне ужасно обидно? Получается, что все это — борьба с коррупцией, с партийными злоупотреблениями, все это хорошее, светлое, правильное сейчас нам не на руку... — сказала Ольга Алексеевна и поморщилась своему неожиданно выскочившему просторечию. «Не на руку» — какое-то воровское, нечистое выражение!.. Так нелюбимые ею просторечия отчего-то все чаще забредали в ее монологи.

— Все хорошее, светлое, правильное сейчас может выйти нам боком, — сказала Ольга Алексеевна и удивилась — опять просторечие.

— Хорошо хотя бы то, что тебя ничего не связывает с участниками преступной цепочки, ты никому из них не сват, не брат, — сказала Ольга Алексеевна.

— Вот черт, опять просторечие, так и прут из меня, так и прут... Что это со мной?.. — сказала Ольга Алексеевна.

Кажется, она говорила сама с собой. Смирнов не отзывался ни словом, ни жестом, ни взглядом... Нет, жестом он все же отозвался, рефлекторно почесал за ухом, и Ольга Алексеевна бросилась на него, как хорошо обученная овчарка, — это был кодовый знак, он всегда тер за ухом, когда хотел соврать.

Ну, и он ей рассказал.

...Плохое случалось с другими, но не с ними, не с ними!.. В сущности, Ольга Алексеевна думала как Алена, что с ними ничего плохого случиться не может, что страшное их минует... Каким бы спокойным ни казался Андрей Петрович, как ни уверял ее, что новая информация никак не меняет дела, не упрощает и не осложняет, просто *никак*, ей стало ясно — может быть, что не минует.

Почему-то для Ольги Алексеевны самым страшным во всем этом страшном были не реальные варианты развития событий — исключение из партии, снятие с работы. Самым страшным оказалось другое. Больнее всего было представлять, как Андрей Петрович будет стоять на ковре у первого секретаря горкома, переминаться с ноги на ногу — большой, похожий на медведя, с растерянно-виноватым лицом, беззащитно краснеющий от лысины до шеи... Она знала, как это бывает. Ольга Алексеевна пыталась отогнать от себя некоторые воспоминания — еще одно точное просторечие, она именно отгоняла от себя воспоминания, замахивалась палкой, топала ногами, кричала «вон!» и наконец жалко упрашивала «ну, пожалуйста, уходи...», но чем больше упрашивала, тем назойливей вставало перед глазами то, страшное, что про себя называла — «преступление». Это была их единственная за всю жизнь настоящая, до его мысли «уйду к чертовой матери» и ее «все, больше не люблю», ссора. Вышло случайно... Все, конечно, выходит случайно, но — еще одно просторечие — чему быть, того не миновать, не одно «случайно», так другое. ...Ольга Алексеевна никогда не приходила к мужу на работу, в райком, но в тот зимний сколько-то лет назад вечер они собирались в театр, в БДТ на «Мещан» по Горькому с Кириллом Лавровым, и она так хотела пойти! Горький, Кирилл Лавров, новый костюм, финский, бежевый с коричневым кантом, с собой на смену черные лакированные туфли-лодочки, и самое главное — театр вдвоем случался чуть ли не раз в год. Ежемесячно Андрею Петровичу докладывали, что происходит в городе, — это называлось «быть в курсе по культуре», а личного времени на театр, чтобы самому пойти, как обычному человеку, с женой под ручку, у него не было. И не раз случалось, что наметили театр, и вдруг срочное — совещание или в районе что-то случилось, и район-то важнее какого-то там балета, — вот тебе и театр. Андрей Петрович в таких случаях выглядел застенчиво-довольным: вроде бы за жену умеренно огорчен, а сам счастлив — повезло.

Ольга Алексеевна решила схитрить — пришла за ним в райком, чтобы он не смог вывернуться. Она долго сидела-ждала в приемной, и наконец секретарша, которой неловко было при ней разговаривать по телефону по своим делам, заглянула в кабинет — «Андрей Петрович, к вам Ольга Алексеевна». Андрей Петрович привстал, при его медвежьей неуклюжести это было «вскочил», — ну что же Ольга Алексеевна сидит в приемной, пусть скорей заходит...

Кабинет был огромный, от двери к столу Смирнова шла ковровая дорожка, Ольга Алексеевна, оробев, словно пришла не к мужу, а на прием к большому начальнику, прошла по ней со своим трогательным мешочком с туфлями, как девочка в школу со сменкой. К огромному столу Андрея Петровича был приставлен маленький стол, за маленьким столом сидел помощник, инструктор райкома. Андрей Петрович сказал: «Олюшонок, ты побудь пока в задней комнате, а я быстро, у меня еще проработка одного товарища, и все, идем...»

Ольга Алексеевна прилегла на диван в маленькой комнатке за кабинетом, достала из сумки журнал «Вопросы философии» и тут же услышала, как «один товарищ» входит в кабинет. Представила, как он идет по ковровой дорожке к столу, поежилась, и тут что-то ее дернуло — встала, подошла к двери, прислушалась.

Сесть Андрей Петрович «одному товарищу» не предложил. Сказал инструктору: «Зачитай вопрос». Помощник зачитал, это была характеристика и вопроса, и самого провинившегося, включая его личную жизнь. У его женатого сына была любовница, — ее удивило — зачем нужна эта информация?..

Дальше было страшно.

Помощник задавал вопросы, быстро-быстро, как будто бил по щекам, — по левой, по правой, по левой, по правой! Все профессиональное, преподавательское в Ольге Алексеевне неприятно заерзало,

возмутилось, — факты подавались агрессивно и нелогично, она никогда не спрашивает студентов так
пристрастно. Ольга Алексеевна подумала — непре-
менно скажет мужу, что его помощник некомпетен-
тен. Она бесшумно приоткрыла дверь, посмотрела
в щелку: человек лет шестидесяти, седой, полный,
переминаясь, стоит навытяжку напротив стола, как
мальчишка. Андрей Петрович молчал, лица его она
не видела. И вот — он заговорил. Смирнов говорил
негромко, страшно — «тебе не место в партии»,
«преступление», «саботаж», слова падали, как камни, — «снять с работы», «выгнать из партии».
Ольга Алексеевна задохнулась от страха — испугалась собственного мужа. Отошла от двери, присела
на диван, открыла «Вопросы философии», принялась просматривать первую статью, изо всех сил
стараясь вчитаться, понять ускользающий смысл, и
уже почти вчиталась и вдруг услышала странные
звуки — торопливые шаги, стук, как будто что-то
поставили на пол, — какая-то суета.

Оказалось, в кабинете врачи. «Скорая помощь».

Вместо театра поссорились так, что хоть разво-
дись. Ольга Алексеевна впервые в жизни кричала
на мужа. Кричала:

— Эта проработка — подлость! Подлость, когда
задают вопросы, но не ждут ответа!

Андрей Петрович все мрачнел и мрачнел и наконец резко взял ее за плечи и потряс. Он никогда не

дотрагивался до нее иначе, чем с лаской, но и это не привело ее в чувство.

— Ты не дал ему сказать ни слова! Ты вызвал его на ковер не для того, чтобы проникнуть в суть дела, а чтобы от него и мокрого места не осталось! — Ольга Алексеевна вдруг остановилась — мысль, которая пришла ей в голову, была такой страшной, что она остановилась в крике, как резко завернутый кран, и прошептала: — Андрюша! У тебя ведь уже было решение — строгий выговор... У тебя решение уже было принято и приготовлено!.. Тогда... зачем ты его пугал?.. Он же стоял перед тобой и дрожал, думал, что его из партии выгонят... А если бы он умер там, у тебя в кабинете?.. Кто он, этот человек?

— Какая разница?.. Ну, директор завода.

— Получается, ты специально... Ты специально его унижал. Ты довел его до сердечного приступа... А если бы тебя в обкоме — так?..

— А меня — так. У нас так. Или ты ебешь, или тебя. Если ты подставился, пока не выебут — не отпустят. Унизят, растопчут... Ты что, думаешь, я один — зверь такой?

— Прости, Андрюша, прости. — Ольга Алексеевна все пыталась объяснить, доказать. — Допустим, это общепринятый партийный стиль. Но, Андрюшонок, это же неправильно! Вы со ступеньки на ступеньку передаете друг другу страх, от этого страдает дело... А как же Ленин, ленинские принципы?.. Ленин никогда не повышал голос, он не смог бы обидеть соратника, унизить!.. Помнишь, как Ленин писал в своем знаменитом письме о грубости Сталина?..

Андрей Петрович не помнил.

— Отстань со своим Лениным. Где Ленин, а где мы.

Она даже не обратила внимания на его мат — в их совместном мире были слова грубые, «деревенские», которые мягко не одобрялись, а были совершенно нелегитимные, которые он не позволял себе в ее присутствии. Но то, что он сказал о Ленине «твой Ленин», так, будто для него самого Ленин не святыня, — отрезвило ее окончательно.

Поссорились-помирились, больше никогда о партийном стиле не говорили, как вообще ни о чем таком не говорили. Ольга Алексеевна — вот какая трепетная, одно нетактичное слово, и все, — больше никогда не говорила с мужем о Ленине.

Она не спросила, что с тем директором завода, жив ли, умер. Позвонила в Свердловскую больницу для номенклатуры и узнала, что умер в машине «скорой помощи». Ее муж виновен в смерти человека — шестидесятилетнего, седого, полного, у него была жена... О господи, жена, и дети, и внуки... Господи, ее Андрюша!..

Ольга Алексеевна никогда не задумывалась о том, изменился ли ее муж с молодости, как изменился, почему изменился. Это были глупые, нелепые, ни о чем и ни к чему мысли, а она была совершенно не склонна к бесплодным размышлениям. Если Ольга Алексеевна и замечала какие-то в нем изменения, то только физические, пришедшие со временем. И все, лысина, живот, горький утренний запах изо рта, тяжелый запах пота, — он возвращался домой после рабочего дня, проведенного в кабинете, в машине с водителем, в президиумах, как будто поле пахал, — все было ей мило, все эти возрастные изменения отчего-то не уменьшали, а усиливали ее физическую тягу к нему. Но, услышав «умер в машине "скорой помощи"» и почему-то так и не положив на рычаг трубку, она вслух сказала: «Но ведь Андрюша раньше был такой смешной, милый!..»

Андрюша был смешной, милый... Стеснялся, что она городская, а он деревенский. Что же произошло с тем милым Андрюшей — переродился, сформировал себя заново? Сидя у телефона с трубкой в руке, спустя долгие годы брака она вдруг засомневалась, что милый деревенский парень, за которого она выходила замуж, перспективный комсомольский лидер Андрюша Смирнов — это личность, тождественная первому секретарю Андрею Петровичу Смирнову.

Ольга Алексеевна была человеком неглупым, даже умным. Подумала — и поняла. Андрюша не виноват. Нет тут правых и виноватых. Всю свою взрослую жизнь он провел в системе, где люди разделяются на две категории — начальники и подчиненные. Разве он виноват, что умеет быть только начальником, таким начальником, который только и требуется этой системе? ...А может быть, в нем с самого начала все это было — звериная сила?.. А если бы он был иной, не «зверь такой», то и не достиг бы своего положения?..

Ольга Алексеевна уже сколько-то лет не вспоминала о той истории, а теперь вдруг вспомнилось, и как он сказал ей в свое оправдание «надо же было, чтобы при тебе!..», и «а крепкое сердце надо иметь». Но у него-то, у Андрюши, больное сердце!

Она так явственно представляла, как Андрей Петрович стоит навытяжку перед огромным столом, как мальчишка, у него каменеет лицо, а его бьют словами, как камнями, летят «вон из партии!», «я тебя сгною!»... А у него больное сердце! Как у того, о ком она прежде старалась не вспоминать. «Бедный, бедный», — думала Ольга Алексеевна — о муже, конечно, не о том, с женой, детьми и внуками.

Ольга Алексеевна остро, до спазма, ненавидела человека за огромным столом, первого секретаря горкома, первого секретаря обкома, все равно — того, кто будет кричать ее Андрюше «вон из партии!», она была готова растерзать его, вцепиться, расцарапать, рефлекторно сжимая кулаки, она сама удивлялась своей страсти.

Действительно странно — для человека, понимающего, что такое система. Система, где каждый всегда одновременно подчиненный-жертва и начальник-зверь. Андрей Петрович не виноват в смерти директора завода — так когда-то посчитала Ольга Алексеевна, мудро объяснив себе, что каждый ведет себя соответственно своей на данный момент роли. Но — каждый за себя, и сейчас ей было не до теоретических рассуждений о системе, о ролях. В ней было слишком много природной силы, чтобы бесплодно страдать, чахнуть, ей бы биться за него, вынести его из боя, но — как? И со всей этой силищей она просто ненавидела тех, до кого могла своей ненавистью дотянуться.

# АПРЕЛЬ

## Истинная жизнь Нины Смирновой

У обеих сестер уже была своя жизнь: Ариша жила как ангел, Алена — как черт, но обе сестры в некотором смысле жили двойной жизнью, а Нинина жизнь была домашняя и школьная, образцово-показательная. Но если у кого-то из сестер Смирновых и была по-настоящему двойная жизнь, то у Нины.

...Этим воскресным утром все: общий долгий завтрак, смешная Аришина торговля «я помою посуду, Алена сделает алгебру, а Нина напишет три чуть разнящихся сочинения по "Войне и миру"», — все располагало к приятной расслабленности. После завтрака Андрей Петрович отправился в кабинет, между Ольгой Алексеевной и девочками это называлось «пусик работает, не будем ему мешать», но пусик, конечно же, после долгого завтрака просто спал. Андрей Петрович спал, но все должны были быть в пределах его досягаемости — по воскресеньям девочкам запрещалось уходить из дома «без уважительной причины».

Алена улеглась на диван в гостиной, но не читала, не разговаривала, в буквальном смысле глядела в потолок, Ариша слонялась вокруг дивана, пытаясь примерить на лежащую Алену новые колготки, попробовать на ней новую французскую тушь или хотя бы пощекотать, и наконец, отчаявшись привлечь ее внимание, отпросилась у Ольги Алексеевны из дома — «на минутку». А Нина сидела над тетрадкой в своей комнате, вернее, в комнате девочек, она так и не научилась считать ее своей, — в тетрадке на первой странице только и было что название сочинения «Образ Наташи Ростовой в романе Л. Н. Толстого "Война и мир"», — грызла ручку и думала: «*Что я сделала?*»

Ольга Алексеевна ее ненавидит!.. Нина физически чувствовала, как сильно Ольга Алексеевна ее ненавидит, дрожит от ненависти, старается сдержаться, но не может. Не может смотреть на нее, слышать голос, не обращается к ней — но почему?! Почему ее жизнь, давно уже ставшая вполне уютной, вдруг полетела ко всем чертям?.. Все было хорошо, все уже давно было хорошо!..

Зависимое положение потребовало от Нины двух вещей — быть хорошей и быть незаметной. Нина как нельзя лучше отвечала требованию быть хорошей. У нее была прекрасная память, позволявшая ей учиться без блеска, но и без срывов, запоминание фактических сведений давалось ей легче, чем рассуждения, собственных оригинальных суждений она не предъявляла, но никто не считал ее тупой зубрилой-отличницей. Она по-прежнему занималась спортом, правда, фехтование пришлось оставить, для шпаги она выросла слишком крупной, и она перешла в секцию спортивной гимнастики, за год получила второй разряд. Она сменила Алену на посту комсорга класса. У нее оказалась склонность к ничем не вознаграждаемой деятельности — после «прихода на должность» она бесконечно что-то организовывала, не идеологическое, а «для людей». Коллективная подготовка класса к сложной контрольной, поздравление ветеранов с Днем Победы, шефство над старыми школьными учителями, концерт самодеятельности в соседнем детском доме...

В школе Нину называли Родина-мать. Родину-мать придумал Виталик Ростов, и какое-то неочевидное, но глубинное сходство с известным всем суровым лицом с плаката «Родина-мать зовет» было подмечено им довольно тонко. Таню с ее светлыми пружинистыми кудряшками и длинноватым носом с горбинкой, Алену красавицу-глазам больно, Аришу, нежную травинку, не назовешь Родина-мать, а Нина была рослая, крепкая, ладная, приятная, *простая.*

Нина, конечно, считала себя некрасивой. Алена — вне конкурса, Ариша такая же красавица, но словно убрали резкость, а у нее ни Алениной бешеной яркости, ни Аришиной нежной туманности, ниче-го! Нина слышала, как удивлялся учитель физкультуры: «Какие разные эти Смирновы: одна секс-бомба, другая вся из себя дворянка, а третья простая, как моя жизнь». Какая жизнь была у физкультурника, бог его знает, но быть как его жизнь показалось Нине определенно неприятным. А что такое «простоватая» — это нос как нос, рот как рот, все обычное?.. Плюс прыщ на носу.

«У нас с тобой большие пальцы одинаково торчат», — утешала ее Ариша, но кто будет всматриваться в большие пальцы! Ариша изящная, тоненькая, как будто струится, а она... деревенская, вот она какая, по сравнению с девочками...

На самом деле все было не так плохо. По детской градации «красавица-симпатичная-обычная-уродина» Нина была обычной, а по мнению Фиры Зельмановны, Нина была как роза: «Она как роза, выросшая на куче мусора, не в обиду ей сказано. Вспомните, какой это был забитый зверек, а теперь... Вы когда-нибудь видели такой общественный темперамент?..» *Такого* общественного темперамента никто не видел.

Оказалось, что в этой поначалу изумленной Ленинградом поселковой девочке горит такой яркий огонь, такое желание сделать для всех «как лучше», всех осчастливить и организовать, что комсоргом Нина пробыла недолго, ее выбрали секретарем комсомольской организации школы, и тогда ее достижения отметил Андрей Петрович. Так и сказал: «Мы должны отметить твои достижения».

— ...Мы должны отметить твои достижения. — Андрей Петрович подмигнул Нине, и — Ольга Алексеевна понимала его с полувзгляда — перед ним мгновенно появилась его любимая граненая стопка. — Ты у нас теперь номенклатура...

Нина улыбнулась, чувствуя, как от напряжения немеют мышцы лица. Напряжение возникало в ней всякий раз, когда Андрей Петрович обращал на нее внимание, когда Нина переставала быть частью «вы, девочки» и оказывалась отдельной Ниной. ...«Номенклатура», конечно, была шуткой, но в шутке прозвучало кое-что очень Нине дорогое — «ты у нас». У нас!

Когда Нину в одночасье забрали из подмосковного поселка, самым большим для нее шоком была не заморозившая ее своей равнодушной доброжелательностью Ольга Алексеевна и не красивые рослые девочки, одного с ней возраста, но опытней на целую жизнь. Самым большим шоком для Нины было то, что у нее *такой* отец. Нина твердо знала, как выглядит ее папа. Конечно, она была уже не маленькая и понимала: открытка — это не фотография.

На открытке стояло «Актер В. Лановой». Конечно, она была уже не маленькая и понимала: это актер В. Лановой. Но она изучала открытку целыми днями, а если так долго смотреть, реальность может потеряться, улетучиться, заблудиться навсегда... Уже не маленькая Нина была уверена, что ее папа именно такой: красивый, большеглазый, с высоким лбом, умным тонким лицом. И увидеть вместо красавца Ланового Андрея Петровича!.. Конечно, это был шок. Идеальный образ не то что не вполне соотносился с реальностью, а просто — этого не может быть! Андрей Петрович был похож «на всех дядек из телевизора».

Детское Нинино определение было довольно точным. Андрей Петрович действительно был похож на всех партийных дядек страны. Настолько у Смирнова был смазанный облик, что встреть его Нина вне привычной обстановки квартиры, она могла бы его не узнать. Особенно в зимней одежде: массивная фигура в пальто с бобровым воротником и ондатровой шапке, лицо... ну, глаза — небольшие, ну, нос — картошкой... и запах одеколона.

Кстати о запахах. В Нинином настоящем доме был резкий многокомпонентный запах неустроенного быта — кухни, сортира и помойки, приправленный запахом человеческой грязи, а у Смирновых ничем не пахло, даже продукты, не виданные ею прежде, казалось, не пахли, и эта стерильность, отсутствие запахов поразили ее больше всего. Только Андрей Петрович был другой, живой, от него — пахло. Когда он, сказав «добро пожаловать», приобнял ее, похлопал по плечу, она ощутила его запах — смесь естественного горьковатого запаха крупного мужчины, усталости, папирос, вчерашнего пота. Может быть, кому-то это показалось бы неприятным, но Нине нет. Нина различала добрые и враждебные запахи, его запах был добрым. Но зачем усложнять — добрый запах, злой запах... Чувства ее были несложными: Ольга Алексеевна — чужая тетя, Андрей Петрович, такой важный, большой, строгий, начальник, — чужой дядя.

Она давно уже не произносила мысленно «ненавижу», «отомщу», давно уже по-взрослому думала, что она не знает, не может судить — а вдруг они не виноваты в злосчастной маминой судьбе?.. Сказочная картинка «злая сестра-ведьма выгоняет младшую сестру с ребенком на руках в темный лес» стерлась в ежедневном домашнем обиходе.

Ольга Алексеевна была к ней деловито вниматель-
на, как к новобранцу, которого требуется обучить
нужным навыкам, была к ней подчеркнуто справедлива, относилась к ней хорошо, как могла, и
Нина отвечала ей как могла, не полюбила, но
очень старалась полюбить — нужно же человеку
кого-нибудь любить. А отношения ее с Андреем
Петровичем можно определить чрезвычайно просто: он был к ней доброжелателен, она его стеснялась. Если он проявлял к ней доброту, она стеснялась совсем уж мучительно, вот и все отношения.
Дети всегда стесняются чужих равнодушных дядей
больше, чем чужих равнодушных тетей. О его от-
цовской любви Нина даже не мечтала, по сравнению с его любовью к девочкам любое чувство было бы бледной тенью, но она была готова учиться,
работать, землю грызть, стать хоть номенклатурой,
хоть кем, — кем он захочет, чтобы однажды услышать «ты у нас».

— Мы решили уделить тебе внимание, пока девочки в гостях у Виталика, — начала Ольга Алексеевна и, заметив, что Андрей Петрович недоволь-
но заерзал, успокаивающе добавила: — У девочек
много друзей, это хорошо, что у девочек много
друзей...

— Ах, друзей?.. Таких друзей только за хер и в
музей... — проворчал Смирнов. — Нина молодец,
с ними не дружит.

Нина покраснела — он хвалит ее незаслуженно. Это они с ней не дружат, а она больше всего на свете хочет дружить с ними.

— Нина, секретарь комитета комсомола, вот сидит, понимаешь, с нами... А Алена с Аришей шлындрают... А-ах, девчонки...

«А-ах, девчонки» относилось к вчерашнему родительскому собранию. После вчерашнего родительского собрания Ольга Алексеевна добросовестно пересказала мужу, как «Нину хвалили, а девочек ругали».

В Нининых «достижениях» был один тонкий момент. С общепринятых позиций Нина была определенно *лучше* девочек — девочки неважно учились, бросили спорт, не занимались общественной работой, о чем классный руководитель Фира Зельмановна сообщала Ольге Алексеевне регулярно и не без тайной мысли: пусть эта, как называл ее Илья, «партийная сучка» оценит Нину, похвалит, приласкает. Самой Нине казалось, что с ее стороны нетактично быть лучше девочек, и она при каждом удобном случае неуклюже пыталась донести до Ольги Алексеевны, что Алена необыкновенно способная, решает сложные задачи по алгебре и физике, Ариша, прелестная ленивица, щебечет на английском, как птичка, а она сама — рабочая лошадка с трудно зарабатываемыми пятерками.

— Ну, Андрюшонок, скажи ты... — сказала Ольга Алексеевна, но Андрей Петрович молчал, сопел — присутствовал.

— Мы решили сказать тебе о твоей... о тебе... о твоей... — наконец с трудом выдавил из себя Андрей Петрович.

«О моей маме», — мысленно договорила Нина.

Андрей Петрович с досадой взглянул на жену.

— Давай ты, а то, понимаешь, как в кино... Я пойду, а вы тут поговорите по душам...

— ...А мы поговорим по душам, — задумчиво повторила Ольга Алексеевна, словно не вполне понимая смысл этих слов.

Много лет Нина обдумывала, как попросить Ольгу Алексеевну поговорить про маму, мысленно умоляла: «Пожалуйста, хоть один разочек!» — но ни разу не попросила — она обещала Ольге Алексеевне забыть свою прошлую жизнь. Ольга Алексеевна по-своему была права — не рубила хвост по кусочкам, отрубила один раз. С тех пор Нина так и жила с отрубленным хвостом, жила, словно до того, как Смирновы ее удочерили, она не существовала, словно у нее вообще не было мамы. Боль от этой жесткой договоренности ощущалась не каждый день, но иногда ей хотелось сделать что-нибудь такое, чтобы Ольга Алексеевна поняла — так нельзя! Потрясти ее за плечи, закричать: «Меня тоже любили, у меня тоже была мама!» ...У Нины была одна мамина фотография, черно-белая фотография на паспорт, остальные фотографии забрала Ольга Алексеевна, когда увозила Нину из дома, — и где они?.. Просто выбросила или сожгла, развеяла по ветру?.. Попросить увеличить мамину фотографию было нельзя, поставить ее на стол в рамочке нельзя, признаться, что у нее есть мамина фотография, просто упомянуть маму — было нельзя.

...Но вот оно и пришло, это время!.. Сейчас они будут говорить о маме! Ольга Алексеевна скажет, что они с ее мамой родные сестры, что Андрей Петрович ее отец. Сейчас все изменится, она официально станет всем родной — дочкой, племянницей, а не сироткой, взятой в дом из милости. И может быть, Ольга Алексеевна посмотрит на нее ласково, а он ее обнимет, как девочек... Сейчас все изменится!.. Ей только нужно будет притвориться, не показать, что она давно об этом знает...

— Андрей Петрович тобой доволен. — Ольга Алексеевна говорила как его полномочный представитель. — Он доволен, что из тебя растет лидер.

«Доволен» — это прекрасно, чего еще желать? Никто не обещал, что ее будут любить. Андрей Петрович — отец девочек, пусик. Ее удочерение было откровенно вынужденным, словно ему приставили пистолет к виску, а под пистолетом какая же любовь...

Ольга Алексеевна объяснила, что лидеры бывают идейные и организационные, Алена — идейный лидер, ей бы бороться за свободу на баррикадах, но к незаметной работе на благо общества она не склонна, а Нина — организационный лидер. Однажды в истории человечества это совпало в одном человеке. «В ком?» — спросила Нина, и Ольга Алексеевна посмотрела на нее удивленно: «Нина, ты меня удивляешь... Ленин, конечно».

— ...Нина, я говорю с тобой предельно откровенно — ни при каких условиях ни капли. Ни грамма алкоголя. Ты должна помнить — у тебя есть *твоя* дурная наследственность. У тебя есть и наша, очень хорошая наследственность. Например, лидерские качества передались тебе по наследству, как Алене. Ты можешь добиться успеха, стать партийным или советским работником, депутатом... Я считаю необходимым подчеркнуть, как мы тебя ценим, твою послушность, ответственность, исполнительность, желание помочь. Ты оказалась хорошей девочкой.

Ольга Алексеевна интонационно поставила точку, считая, что справилась и даже провела этот разговор с блеском, но Нина смотрела на нее, будто чего-то ждала — чего она ждет?

— Что я еще могу тебе сказать?.. Так сказать, выразить... — Помедлив, Ольга Алексеевна наконец нашла слова: — Ты стала нам как своя.

Нина подалась к Ольге Алексеевне — может быть, она захочет ее обнять, совсем незаметно подалась, чтобы не ставить ее в неловкое положение, — может быть, она не захочет ее обнять, и расплакалась. От счастья — в семье плескалось такое огромное море любви, а Нина всегда сидела на берегу, и вдруг она стала им «как своя»! От обиды, что ею довольны, как приблудным щенком, который оказался — молодец, не писает в квартире. И почему-то от жалости к Ольге Алексеевне.

...Нина — про любовь, Ольга Алексеевна — про хорошее поведение, Нина — про маму, Ольга Алексеевна — про Ленина... Этот неестественный, даже абсурдный разговор, хочется спросить — что это было?.. Сознательное желание запутать девочку, вершина уклончивой дипломатии Ольги Алексеевны, или «ты мне про Фому, а я тебе про Ерему»? Ольга Алексеевна сказала, что у Нины есть хорошая наследственность, есть и дурная, как у собаки в «Мери Поппинс» — одна половина Лучшая, другая Худшая, подчеркнула, что Нинина хорошая наследственность — *их*, но почему бы ей в таком случае не признаться, что Нина ее родная племянница?..

После этого исторического разговора по душам Нина окончательно уверилась в одном: Ольга Алексеевна так и не простила ее маму за то, что та родила ее от Андрея Петровича.

...Нужно же, в конце концов, написать это сочинение! Нина начала писать: **«Наташа Ростова — центральный женский персонаж романа «Война и мир». В образе Наташи Ростовой Толстой воплотил свое понимание места женщины в обществе и в семье...»**

— Ненавижу Наташу! Притворяется наивной, а на самом деле просто хищная самка, выбирает самого лучшего самца... Что, разве нет? Не князь Андрей, так Анатоль Курагин. Не получилось ни с тем, ни с другим, тогда с Пьером... — пробурчала за ее спиной Алена.

Нина не ответила. **«Толстой знакомит нас с Наташей в том возрасте, когда в ней происходит становление личности. От этого периода в жизни каждого человека зависит его будущая жизнь...»**
...С некоторых пор Алена слишком часто и горячо говорит «ненавижу!».

Нельзя сказать, что сама Нина любила всех, кто встречался на ее пути, — так уж и всех! Нина, например, ненавидела Толстого. Как несправедливо он в «Войне и мире» обошелся с Соней! Легкомысленной Наташе — все, и любовь родителей, и князь Андрей, а хорошей Соне — ничего, ей даже нельзя выйти замуж за Николая Ростова. Всем дается, а у нее все отнимается! Потому что она безродный подкидыш, ее никто не любит. Как сама Нина... Не может она больше терпеть сжатые губы Ольги Алексеевны, ее взгляд мимо нее... Не может!.. И что сделала плохого, не знает. Может быть, просто подойти к Ольге Алексеевне и спросить: «Что я сделала?» ...Нет, нельзя. Если бы Ольга Алексеевна хотела, она бы сама сказала, а она молчит и ненавидит. Может быть, просто подойти и сказать: «Простите меня...»

— Нина, где моя розовая кофта? — спросила Алена.

— Розовая кофта уже три дня лежит в неглаженном белье, — строго сказала Нина. — ...Кстати, на этой неделе твоя очередь гладить.

...Для того чтобы жить в чужой семье, Нине нужно было быть хорошей и незаметной, жить в тени девочек, не выдвигаясь на первый план. Быть хорошей получалось у Нины совершенно естественно, но незаметной?! Трудно представить более непримиримое противоречие, чем Нинина природная сущность и обстоятельства жизни, — как может быть незаметной девочка, имеющая прозвище Родина-мать? Природу не спрячешь, Нина была Родина-мать, и Родина-мать перла из нее на каждом шагу.

Добытое Аленой ценой ожога знание о том, что Нина им двоюродная сестра, привело к всеобщей ажитации «мы три сестры!», но для того чтобы мирно жить, рядом спать, вместе есть, делать уроки, в общем, плавать в одних водах, ежесекундно касаясь друг друга бортами, захотеть быть сестрами недостаточно. Необходимо было разделить роли. Где Нинино место в этом симбиозе? Между Аленой и Аришей? Невозможно. Алена с Аришей — близнецы, при всей своей противоположности как будто один человек, между ними Нине места нет. Рядом с ними? Но Нина не старшая сестра, по определению главная, и не младшая, опекаемая. Ариша, нежноголубое облачко, безусловно, самая любимая; Алена, от которой искры летят, бесспорно, главная. Второй главнокомандующий этой армии без надобности, кем же может быть Нина Родина-мать?

Ответ нашелся сам собой, Нине удалось соотнести ее природную сущность с предлагаемыми обстоятельствами. Нина стала главнокомандующим по быту.

А ведь что такое быть главной по быту? Для Нины это означало не лезть на первый план, но просто там быть, организовывать все наилучшим образом, брать на себя ответственность — руководить вроде бы по мелочам, но каждую минуту. Нина покрикивала, ворчала, требовала — не забудь, положи на место, убери, сними, надень, быстро!.. Нине тем более была свойственна какая-то неординарная любовь к порядку — она помнила расположение посуды в кухонном шкафу, книг на полке, свитеров в шкафу, как будто сфотографировала глазами, и все всегда должно было лежать, стоять, висеть на своем месте по цветам, размеру и в строгой симметрии. Она раскладывала Аленины и Аришины тетради в аккуратные стопочки, учебники строго параллельно тетрадям, чуть ли не проверяла их портфели. Особенно ревностно она относилась к порядку в шкафу — ею был заведен порядок отчасти даже патологический: у каждой трусики к трусикам, колготки к колготкам, лифчик к лифчику... Ариша, в портфеле которой только что змеи не ползали, и Алена, норовившая выхватить колготки из Аришиной стопки, ее побаивались. Таким образом, девочки стали как бы ее балованными детьми: Алена — горячей балованной дочкой, Ариша — нежненькой балованной дочкой. Ариша с удовольствием забралась к Нине на ручки, стала еще более беспомощной, Алена — еще более небрежной, и получилась чудная равновесная конструкция: «Алена — великолепная, Ариша — любимая, Нина — разумная», и в этой конструкции никто не главный, у каждой своя роль, и без каждой не обойтись.

И Ольга Алексеевна привыкла полагаться на Нину во всем, что касалось быта, не замечая, что Нина и девочки в одной семье живут немного по-разному, даже в мелочах — особенно в мелочах.

Нина старалась жить не широко. Нет, никто ее не ущемлял, не попрекал куском хлеба, не заставлял донашивать старые вещи — ничего такого, что случается с сиротой в сказках, не было и в помине. Нина *сама* старалась жить не широко.

Девочки, нужно отдать им справедливость, этого не замечали. Если сразу после Нининого приезда они усиленно кормили тощенькую застенчивую замарашку, обучая ее: «Это черная икра, она лучше, чем красная... Ешь давай, пока не съешь, не отстану», то теперь им и в голову не могло прийти, что Нина по-прежнему стесняется в еде.

Питание в семье Смирновых было устроено просто и даже простодушно. В холодильнике всегда стояла «наваренная кастрюля» — так называли в семье обед, одно блюдо, одновременно и первое, и второе. Ольга Алексеевна строго соблюдала очередность блюд: густой борщ или тушеное мясо — с картошкой, с капустой, с рисом, с гречневой кашей, стараясь, чтобы семья питалась полноценно, разнообразно: капуста, рис и гречневая каша по заданному графику. Наваренную кастрюлю никто не ел.

«Днем я в Техноложке, вечером в Университете марксизма-ленинизма», — удовлетворенно разглядывая «наваренную кастрюлю», приговаривала Ольга Алексеевна, имея в виду, что готовит небрежно и без любви, но — вот же она, наваренная кастрюля, символ семьи. «Олюшонок, символ нашей семьи — тушеное мясо без соли», — иногда говорил Андрей Петрович. Сам он «символ» старался не есть, отговариваясь тем, что обедает в Смольном, но действительно, что-то интимное было для него в самом виде наваренной кастрюли — наверное, тот факт, что Олюшонок для него готовит.

Нина сердилась, что девочки к наваренной кастрюле не притрагивались — нужно экономить, ведь потрачены продукты, время, деньги! Но девочки не хотели экономить, прибегали, хватали по куску ветчины, красной рыбы или бутерброд с икрой — водитель еженедельно привозил продуктовые заказы, и Нина экономила одна — давилась невозможно невкусным, без соли и специй, тушеным мясом, но до деликатесов не дотрагивалась.

Нина старалась сберечь не только потраченные Ольгой Алексеевной время и продукты, но и одежду, колготки — особенно колготки. У нее была целая система: дорогие колготки за 7 рублей 70 копеек не носила в школу, только на выход и только с юбкой, порвала — расстроилась, зашила, потом надевала под брюки, пока не расползутся, в общем, каждую пару колготок использовала до их полного изнеможения. А девочки относились к колготкам с прекрасной небрежностью: порвала — выбросила. Ольга Алексеевна говорила: «Это просто нахальство — рвать колготки каждый день!» Нина, окажись она на их месте, умерла бы от неловкости. Возможно, *ей* Ольга Алексеевна и не сделала бы замечания. Но Нина сама к себе была строга.

...Ну, и так далее. Подобные мелочи можно было бы перечислять долго. ...Отчего Нина жила, будто оглядываясь? Разве Ольга Алексеевна вела тайный счет, сколько она на нее потратила, и собиралась ей когда-нибудь его предъявить?.. Ольга Алексеевна не была прижимистой, расчетливой, скорее уж Андрей Петрович мог вспылить, назвать ее странно книжным словом «транжира!».

Сам Смирнов никогда ничего не выбрасывал. На антресолях лежал огромный чемодан с подзорами, привезенными им из деревни. Подзоры, широкие кружевные полосы с вышитыми петухами и курами, пришивали к краю простыни, при застеленной постели подзор свисал над полом. Ольга Алексеевна на подзоры не сердилась — это память о доме. Но зачем хранить ее сапоги за последние десять лет? Что, вдруг голенище понадобится на заплатку?.. Какую заплатку, куда заплатку, вразумительно он не ответил бы, но — вдруг. Смирнов вычищал тарелку по-солдатски, до блеска вымазывая остатки хлебом, двадцать лет вычищал, и двадцать лет Ольга Алексеевна вздыхала, жалея его за детскую недокормленность. Андрей Петрович никогда не вмешивался в дела девочек — он говорил: «Я не вмешиваюсь в эти ваши *колготки*». Так отчего же Нина ни разу не попросила купить что-то из одежды, не ела дорогую еду, оборачивала в бумагу книги, прежде чем начать читать? Наследственность у девочек была почти одна и та же, а примешавшиеся в Алене с Аришей «деревенские» гены Андрея Петровича могли бы, напротив, лишь добавить девочкам бережливости. Андрею Петровичу раз в полгода полагались книги — водитель привозил собрания сочинений, серые тома Дюма и другие дефицитные издания. Отчего Алена с Аришей хватали Дюма сладкими пальчиками, а Нина оборачивала в папиросную бумагу?

Возможно, в этом не было никаких подводных камней, никаких психоаналитических изысков, и ответ совсем прост — не хотела запачкать. И в большом, и в таком ничтожно малом она была очень удобной приемной дочкой. Возможно, в ее поведении — не съесть, не порвать, не испачкать, не потратить — проявлялось решение: раз уж она здесь временная, не окончательно своя, она *ничего не запачкает*. Если она будет брать только самое необходимое, но не лишнее, — может быть, тогда ее полюбят?.. Надо сказать, что такое решение мог бы принять человек по-взрослому независимый и сильный, а нелюбимые дети, особенно девочки, хоть и взывают «полюбите меня тоже!», но все-таки склонны по возможности брать — брать, что дают.

Но как было сказано выше, если у кого-то из сестер Смирновых и была по-настоящему двойная жизнь, то у Нины — ведь двойная жизнь не обязательно подразумевает еще одну, скрытую от других, внешнюю жизнь, а может быть жизнью внутренней. Нина, простоватая на вид девочка по прозвищу Родина-мать, была не так уж просто устроена.

Это случалось внезапно и без видимых причин. Нина про себя называла это «ОпятьПришлоПлохое Время». Начиналось всегда одинаково — она вдруг совершенно четко видела себя в зеркале. В зеркале на ее лице крупными буквами было написано «НЕ», это чертово «НЕ» словно прилипло к ней, как виноватая улыбка к лицу двоечника. И Нина, отличница-общественница-спортсменка, в характеристике которой было написано «энергичная, уравновешенная, уверенная в себе», сама ощущающая себя человеком на отлично, смотрела на себя и пересчитывала свои «не» — некрасивая, нелюбимая, ненормальная.

...В «ОпятьПришлоПлохоеВремя» Нина чувствовала себя некрасивой. Это понятно, все помнят, как в подростковом возрасте прыщ на носу затмевает радость жизни. Чувствовала себя нелюбимой — и это понятно, она только и делала, что заслуживала любовь, и ее любили как носителя определенных качеств, а ее саму никто не любил, ни для одного человека на земле она не была первой в списке любимых... Но почему ненормальная?..

**«...Наташа Ростова много пережила. Она очень страдала после смерти князя Андрея. Но когда погиб ее брат Петя, Наташа поняла, что должна поддерживать мать, и возродилась к жизни и любви. Если будет нужно, она поедет за Пьером в Сибирь...»**

— Девочки, девочки! — вмешался в «Войну и мир» возбужденный Аришин голос.

Вот какая Ариша, кажется, само послушание, а крутит Ольгой Алексеевной, как лисица хвостом, — ушла на минутку, а вернулась домой через два часа. И с крайне таинственным видом.

— Не бросай здесь шарф, помой руки, садись уроки делать... — на автопилоте начала Нина, не отрываясь от сочинения.

— А у меня кое-что есть! — обиженно начала Ариша — ни на ее возбуждение, ни на нее саму не обратили внимания. — У меня записка!

— Выброси, — равнодушно отозвалась Алена. — Надоели! Надоели, надоели!

**«В эпилоге Наташа — мать четверых детей, она любит своих детей и больше не интересуется светом и своей внешностью. В образе Наташи Толстой показал свой идеал настоящей русской женщины».** Нина поставила точку и, не оглядываясь, велела:

— Ариша, читай записку! А то мы не узнаем, куда ее положить.

Нина завела для записок, которые получала Алена, две коробки с аккуратно наклеенными на крышки этикетками. Обе этикетки были подписаны Таней Кутельман, на одной была надпись «Любовь придурков. Хранить вечно», на другой, поменьше, — «Ну, допустим, это любовь».

— Клади сразу в «Любовь придурков». Что там может быть... еще одно тупое «Я тебя люблю». ...Не хочу никого, не хочу, не хочу! И вы обе тоже мне надоели! Вообще никого не хочу видеть, кроме Тани... Виталика тоже можно, и Леву.

Нина уже шесть лет жила с Аленой и Аришей, они были «сестры Смирновы», вместе ели, спали, болели, менялись одеждой, но их друзья по-прежнему были для нее недосягаемы.

Они называли себя «четверо», смешно ошибаясь в счете, ведь на самом деле их было пятеро: Таня Кутельман, Виталик Ростов, Алена с Аришей, Лева Резник. Лева хоть и учился в другой школе, был у них главным, без него они не собирались на свои, недоступные Нине, вечеринки. А может быть, главным был Виталик — ведь собирались всегда у него дома. И почему «четверо»? Близнецы Алена с Аришей не могли считаться за одного человека, они такие разные, и всеми обожаемая Ариша не была бесплатным приложением к Алене. В этом «четверо» вместо очевидного «пятеро» был какой-то непонятный Нине смысл, какая-то только им смешная штука. Добрая Ариша хотела объяснить ей, но не смогла, хихикала: «Как ты не понимаешь, нас четверо... Просто нас четверо...»

Ну, хорошо, пусть так, но там, где «четверо», вполне может прибавиться еще один человек! Больше всего на свете Нина хотела стать в их компании своей, пусть незначимой, сбоку. Но с ней вежливо не дружили, и это было нестерпимо обидно — и непонятно! Ведь в школьной системе координат она была главной — что скромничать, в школе она была самой главной, она была их *начальником*, так почему они ее отвергают?

Виталик цитировал кино, Таня говорила «об умном», Лева говорил, словно читал лекцию... Нина так хотела этих их разговоров — про кино, книги, музыку, йогу, подозревая в душе, что ей было бы интересней с ними, чем в комитете комсомола, но Таня смотрела сквозь нее, Лева искренне не замечал, Виталик называл ее «пионер — всем ребятам пример», «комиссарка», «орленок», «тимуровец»... И Алена с Аришей не могли помочь, Алена с Аришей дома — это одно, а вне дома — совсем другое... Решительное Аленино «мы к Тане, пока!» и уклончивое Аришино «увидимся дома» окончательно закрывали перед ней дверь в волшебную комнату.

Все ее общественные начинания, даже самые, казалось бы, правильные, «четверо» встречали с иронией. «Почему вы не хотите, ведь весь коллектив...» — удивлялась Нина. Она любила чувствовать себя частью коллектива, единого целого, общего потока, как на первомайской демонстрации, в счастливом единении со всеми. «Коллектив» было для нее главное слово, а они говорили «коллектив» с презрением, у них, очевидно, были другие главные слова, но Нина их не знала, «четверо» говорили на другом языке, и этот язык оставался для нее чужим.

Кстати о языке. Они и в прямом смысле говорили на другом языке. Она пыталась перенять что-то простое, например, как они, спрашивать «Про что кино?», что означало «Что происходит, как дела?», но получалось как у иностранца, пытающегося использовать идиомы неродного языка — и все невпопад. И еще. Нина слышала — они ругаются! Матом! Матом ругаются только опустившиеся пьянчуги, нормальный человек даже слово «говно» не скажет, не говоря уж о «блядь» или... Ужас что они говорят! Виталик говорил «пиздеть изволите, господа», «блядища», «уебище», «ебанько», и Алена не стеснялась в выражениях, но почему-то было не как у ларька, а смешно и интеллигентно... Нина не могла понять, как говорил тот же Виталик, «в чем дас хунд бегробен». Это была цитата из какого-то кино, но что здесь смешного?

Виталик однажды сказал ей: «Дурища, ты поддерживаешь никому не нужный огонь. Для тебя нет ничего слаще, чем сделать для человечества то, что ему не нужно». Нина честно обдумала его слова, разделив их на две мысли.

Может быть, и правда человечеству не нужны ее начинания? Но что плохого в том, что ветераны получат по тюльпану в День Победы? Разве плохо пригласить детей из детдома на концерт художественной самодеятельности? А взять шефство над двоечниками-пятиклассниками? Провести во всей школе Ленинский урок, посвященный... неважно, чему именно, — войне, колхозному строительству, солидарности трудящихся... Подумав, Нина твердо решила: то, что она делала, человечеству *нужно*.

Вторая мысль была, что она делает это для себя, «сладкое для себя». Покопавшись в себе, Нина решила, что Виталик отчасти прав — она не представляла особенной ценности у себя дома, школа была единственным местом, где она что-то значила. Ну и что? Виталик тоже не представлял особенной ценности для своей мамы, но это не заставило его стать активным комсомольцем, полюбить общественную работу!.. Он сирота, как Нина, но сирота-индивидуалист.

Говоря о разных мамах, одиночестве, сиротстве... У каждого были свои царапины, ранки: у Виталика погиб отец, Леву не пустили на олимпиаду. Но — вот странно — несмотря на это, они казались ей беспроблемными небожителями, были для Нины как елочные игрушки, красоте которых не мешают царапины или сколы. Таня — умница, Лева — гений, Виталик — сын знаменитых родителей и сам будущая знаменитость, слава висела на нем, как баранки на шее, наклонись и кусни, когда придет время. ...В общем, все это было как в песочнице:

она была из другого детского садика, они ее не хотели, и все тут, а она так хотела с ними играть, что хоть умри!..

— ...Выбросить?! Записку?! А она не тебе! Нине! Записка Нине!.. Я расскажу по порядку. Мы с Виталиком встретили во дворе Леву... — Любой рассказ Ариша начинала издалека.

— Лева передал мне записку от Фиры Зельмановны? Наверное, расписание изменилось и нужно всех обзвонить... — догадалась Нина. У нее даже и мысли не было, что эта записка — *записка*. Та, что мальчики пишут девочкам.

Единственный, с кем Нина не хотела дружить, был Лева Резник. Алена с Аришей обращались с Левой как с обыкновенным человеком, а Нина рядом с ним чувствовала себя неодушевленной природой, таким он был пугающе умным — что хочет, то и докажет. Сначала одно, а потом противоположное. Нина не могла с ним разговаривать, не могла ответить ему на обычный вопрос «где девочки?», ей казалось, что даже на такой простой вопрос ему требуется сложный ответ. К тому же Лева был сыном Фиры Зельмановны, а с ней у Нины были особые отношения.

Фира Зельмановна — это было сразу после Нининого приезда — велела ей остаться после уроков. Она не выспрашивала: «Кто ты, как тебе у Смирновых?», а просто сказала: «Детка, сейчас тяжело, но потихоньку-полегоньку привыкнешь». Вроде бы ничего особенного, но — голос! Голос у нее был такой тягучий, горячий, и вся она была такая горячая и настоящая, что Нина к ней подалась, как собачка, которую нежданно погладили, — и Фира Зельмановна прижала ее к себе чуть удивленно, покачала, как маленькую. С тех пор отношения между ними были особенные: она Нину приласкивала, то по голове погладит, то за плечи обнимет. Ольга Алексеевна возмутилась бы, узнав, что Нина про себя называла учительницу «мама Фира» — какая еще «мама», правильно говорят, что от приемных детей благодарности не дождешься, а ведь она всегда была к Нине справедлива, — но даже собакам и кошкам нужна тактильная ласка, а не только справедливость.

Иногда, примерно раз в месяц, Фира Зельмановна приглашала Нину к себе домой. Дом у «мамы Фиры» был такой же горячий, как она сама, полный воспоминаний. Вот камушки из Крыма в цветной плошке, вот сухие цветы из Литвы. Нина знала, что Резники дружили с Кутельманами и все воспоминания у них были общие, но Танин дом был пустой и безжизненный, наверное, Танина мама камушки и цветы потеряла. Нина была у Тани Кутельман всего один раз, ей не понравилось. В Толстовском доме все квартиры похожи: везде большая квадратная прихожая, из прихожей коридор, вдоль коридора комнаты; отличие в том, сколько по коридору комнат, — у Смирновых было четыре комнаты, у Кутельманов шесть. Квартира Кутельманов была огромная, в ней пахло пустотой, книгами и табаком — сухой строгий запах. Танина мама Нине тоже не понравилась — сухая и строгая, даже запах духов у нее строгий. В квартире «мамы Фиры» запах был неприятный — запах коммуналки, но Нине все «мамы-Фирино» было мило, даже запах готовки на шести плитах и туалета, которым пользуются двадцать человек.

Считалось, что Нина приглашена как комсомольский лидер обсудить школьные дела, но школа даже не упоминалась, они просто пили чай. «Мама Фира» подавала ей чай с пирогом — сама подавала — ей! Сидела напротив нее в своем ярко-бирюзовом или апельсиновом костюме, смотрела, как она ест, подперев голову рукой, — совсем как настоящая мама в кино.

...Ариша торжествующе хихикнула, повертела в воздухе белый треугольник и жестом фокусника — раз — положила записку перед Ниной.

— «Нина, ты мне очень нравишься. Я хочу с тобой встретиться. Приходи в садик в Щербаковом переулке, когда сможешь», — прочитала Нина.

Алена пулей слетела с кровати:

— Давай я тебя накрашу! Это твое первое свидание, а ты как чучело! Ариша, тащи тушь, тени...

Да не эти, с блестками! Наденешь мой белый свитер, если запачкаешь — убью!.. Ариша, а какой он? Да не свитер, глупая ты башка, а этот, кто записку передал, какой он?

— Он такой... необыкновенный... Высокий и очень-очень симпатичный... просто необыкновенный. Не из нашей школы, — лишь на секунду задумавшись, с жаром сказала Ариша и незаметно сделала гримаску в сторону Алены — «черт его знает какой... да никакой».

Мальчик был совершенно обыкновенный и записку передал безо всякого трепета, просто подошел и сказал: «Ты, передай Нине». Странное обращение — «ты»... Скорее, даже не симпатичный мальчик, грубый. Но это был первый мальчик, проявивший к Нине интерес, и Ариша хотела представить его самым лестным образом.

— Он в тебя влюблен, — подсказывающим голосом сказала Ариша.

Влюблен?.. Лева влюблен в Таню, Виталик в Аришу, в Алену влюблены все. Нина вполне могла бы рассчитывать на свое место в броуновском движении школьных любовей, если бы была сама по себе. Но она была третьей сестрой Смирновой, серым комком посреди блестящих снежинок. Как бы Нина ни перебирала, кто в кого влюблен, сколько ни перекидывала бы фигурантов, как костяшки на счетах, положительного баланса не возникало —

никто никогда не был влюблен в нее. То есть до сих пор не был влюблен, а теперь — вот оно счастье!

— Может, он перепутал меня с Аленой? Подумал, что Алену зовут Нина, и... и записка на самом деле...

— Нет, ты что, он влюблен в тебя! — Ариша даже подскочила от такого неромантичного поворота событий. — Правда же, Алена, как он мог перепутать?..

Девочки вертели безвольную Нину, как куклу, Алена командовала — закрой глаза, теперь нижние ресницы, да не моргай ты! Ариша восхищалась — какая ты хорошенькая! Нина поворачивалась на ватных ногах, по команде закрывала глаза, открывала рот, и от страшного волнения ее тошнило. Это было в точности то же ощущение, что и в тот страшный первый день у Смирновых: девочки рассматривали ее, а она стояла в оцепенении и боялась, что ее вырвет.

...Девочки собирались в гости к Ростовым. Алена примеряла платья, на полу валялась разноцветная куча, а Алена стояла над ней почти голая, на ней были только белые трусики с кружевными оборками... Выбрав наконец платье, она велела Нине переодеться в Аришино платье и вдруг закричала на нее страшным голосом:

— Ты что?! Сними немедленно! Выброси!

Нина испуганно оглядела себя: что снять немедленно? что выбросить?

— Ты носишь чулки! Почему чулки?! Никто не носит чулки! И почему на тебе трусы до колен?! — возмущалась Алена.

Алена брезгливо сказала:

— Чтобы я этого больше не видела!

Нина растерянно поежилась — где же ей взять другое белье? У нее же нет денег. Алена дала ей Аришины трусики и колготки.

Нина не хотела помнить, что произошло дальше... Дальше — они встретились во дворе с Таней. В первую же минуту, когда Нина ее увидела, она захотела с ней дружить. Алена была страшная, чужая, Ариша была не страшная, но тоже чужая, она стеснялась их обеих до полусмерти, а Таня была обычная. И платье у нее было обычное, и колготки обычные, чуть свисали... Она была добрая, приветливо улыбалась и разговаривала с Ниной как с человеком, а не как Алена, требовательно, страшно — почему чулки?! почему трусы до колен?! Больше всего на свете Нина хотела подружиться с Таней.

Нина не хотела помнить, что произошло дальше... Дальше она в гостях у Ростовых громко, на весь стол закричала Тане «жидовка», дралась с ней, таскала за волосы, расцарапала лицо в кровь... Она бы хотела забыть, но запах крови помнился до сих пор.

Через несколько дней «жидовка» Таня сама подошла к ней и сказала: «Я тебя прощаю, будем друзьями», а она промолчала — как дура... Невозможно было объяснить Тане, как остро вдруг почувствовала — все вокруг красивые, все *у себя дома*, а она одна среди чужих... Да и все равно, после такого *знакомства* какая могла быть дружба?.. К тому же у них с Таней был совершенно разный интеллектуальный уровень. Таня читала все, что только можно, а она была тогда совсем дикая, как зверек.

...Спустя несколько минут Нина, умело накрашенная Аленой, с ярко-голубыми веками (польские тени), нежно-розовыми губами (польский блеск для губ), чуть припудренным лицом (французская пудра Ольги Алексеевны, украдкой вытащенная Аленой из ее сумки) и естественным от волнения румянцем, стояла у двери в прихожей, как приготовленная к запуску ракета — оставалось только сказать «пуск!».

— Умри, но не давай поцелуя без любви, — хихикнув, напутствовала ее Алена.

— Он симпатичный, он в тебя влюблен, просто умирает, — зомбирующим голосом сказала Ариша.

Из кухни отдаленным гулом послышалось «Олюшонок, чаю...» с протяжным зевком. Нина вопросительно произнесла: «Я пошла?» Она была так возбуждена, словно все это — не записка неизвестно от кого, а записка от *принца*, словно все, что сейчас произойдет, свидание, признание — ее судьба. Она взялась за ручку двери, обернулась к девочкам и, блестя глазами, решительно повторила «я пошла!» и вдруг развернулась и, скинув туфли, направилась на кухню.

— Дура! Трусиха! Подлиза! — вслед ей возмутилась Алена.

— Ну, если она правда не может... — разочарованно вздохнула Ариша.

— Что тебе? — спросила Ольга Алексеевна, глядя сквозь Нину.

Обычно Нина не выдвигалась на первый план, дожидалась, пока на нее обратят внимание, а сейчас вошла в кухню и встала у стола, словно пришла на прием к Андрею Петровичу.

— У меня вопрос... — Нина кивнула в сторону Андрея Петровича, стесняясь обратиться прямо к нему.

...Дура, трусиха, подлиза Нина действительно *не могла*. Неизвестный мальчик не был для нее важен сам по себе — что мальчик? Мальчик, записка — все это воплощало в себе *любовь*. Но даже любовь сейчас была в ее жизни актером второго плана, а главным героем ее жизни был ее отец. Не может она быть счастливой, если нарушит правила!..

Смирнов строго-настрого запретил девочкам вступать в контакт с незнакомцами. Это не было обычное правило для барышень из хороших семей «нельзя знакомиться на улице», девочкам было многое *нельзя*. Дочери хозяина Петроградки не могут жить так, как живут обычные люди. Он занимает такое положение, что возможны провокации. Алена смеялась — что, американские шпионы выпытают у них секрет бомбы? Диссиденты заставят подписать письмо за вывод войск из Афганистана? Космические пришельцы унесут их на Луну? ...И действительно, кто и зачем мог напасть на барышень Смирновых?

Нина протянула Андрею Петровичу записку:

— Вот. Нельзя?..

Зависимая жизнь сделала Нину большим мастером подтекста, и эта ее фраза была верхом тактичности. Вместо очевидного «вы говорили, что нам нельзя» она, привычно избегая обращения на «вы», сказала «говорили, что нельзя», тем самым не причисляя себя к его дочерям, не придавая себе в его глазах столько же ценности. ...Не слишком ли много внимания этим «ты» или «вы», безличным глагольным формам и прочим лингвистическим тонкостям? Какая, в конце концов, разница, как именно сказать! Но язык человека самым точным образом *отражает его личный способ интерпретации картины мира и даже его личные нормы поведения.* И в этой странной фразе «Нельзя?..» ясно проявляется Нинина картина мира. Она не иронизировала, не оценивала правильность распоряжений, не лавировала, оценивая строгость запретов, запрет *был,* и если Алена с Аришей нарушали правила — она нет... Лингвистическая изощренность и следующее из нее лавирование в смыслах приводит к тому, что человек чаще предпочитает молчать, говорит меньше, чем мог бы, — и больше думает. Нина думала, что, нарушая запреты, Алена умничает, а Ариша дурит, запреты означают, что тобой дорожат, и Андрей Петрович знает лучше... В общем, говоря детям «в лесу волки», отец прав просто по праву отца, к тому же в лесу *может* оказаться волк. Вполне зрелая мысль.

Андрей Петрович взял записку, прочитал вслух: «Нине Смирновой. Нина, ты мне очень нравишься. Я хочу с тобой встретиться. Приходи в садик в Щербаковом переулке, когда сможешь».

— Я его не знаю, он через Аришу передал... — пояснила Нина.

— Не знаешь, ну и сиди дома, — хмыкнул Смирнов и отвернулся — разговор окончен.

И тут с Ниной случилось, на его взгляд, что-то совершенно необъяснимое. Она стояла перед ним, как солдатик, молча, руки по швам, а по щекам текли черные ручьи. Он сердито буркнул: «Чего это ты мне тут ревешь...», не поняв, что это была тушь, смешанная со слезами, беспомощно и сердито посмотрел на жену, почему она ему тут ревет черными слезами, и затем опять на записку — «Нине Смирновой...».

— Не понимаю, что здесь происходит, — сказала Ольга Алексеевна, — посмотри на себя, на кого ты похожа...

Нина послушно взглянула на свое отражение в ею же самой утром протертой до блеска стеклянной дверце кухонной полки — в стекле отразилось зареванное лицо с распухшими губами и черными дорожками растекшейся по лицу туши. На кого она похожа? На чучело.

Ольга Алексеевна смотрела на Нину с брезгливым возмущением, как на кошку, нагадившую в неположенном месте. Нина стояла без туфель, в одних колготках, нервно сжимая и разжимая пальцы на правой ноге, и Ольга Алексеевна сама себя испугалась — она вдруг прямо-таки физическую неприязнь почувствовала к Нине, к ее ногам, таким стройным, сильным... Господи, что происходит, что, что?! Но почему она не уходит, она что же, решила плакать здесь?..

В «ОпятьПришлоПлохоеВремя» Нина считала себя некрасивой, нелюбимой, ненормальной. До приезда в Ленинград Нина не знала, что в ней есть что-то, отличное от других людей. Она ведь всегда была собой, и ей, как любому человеку, не приходило в голову спросить себя, так ли она видит, слышит, чувствует, как другие?.. Видят ли другие люди понедельник колюче-синим, а вторник тревожно-оранжевым? Вздрагивают ли от неприятного покалывания, глядя на число одиннадцать? Чувствуют ли вкус торта с кремовыми розами при взгляде на число двадцать два? А вкус черного хлеба при первых тактах программы «Время»?

В том давнем разговоре с Таней от радости, что та простила ее за жидовку, Нина сказала: «Ты как вишневое варенье». Сказала, что Таня вишневая, теплая, а Виталик прохладный, нежно-зеленый, Лева — цвета бутылочного стекла, не горячий, но точно не холодный. Таня равнодушно пожала плечами — это самовнушение, нельзя увидеть температуру человека или почувствовать вкус цифр, и вообще, все эти паранормальные явления находятся за пределами науки. «Паранормальные» Нина восприняла как «ненормальные» и странным образом обиделась на Таню — за то, что Таня, посчитав ее ненормальной, нисколько ею не заинтересовалась. Как будто она показала Тане свое сокровище, пусть даже ужасное сокровище, а та сказала пренебрежительно — твое сокровище вовсе не ужасно, а просто ерунда и ты сама ерунда...

В «ОпятьПришлоПлохоеВремя» Нина считала себя ненормальной. А в обычное время Нина считала, что она как все, просто у нее есть особенности — она воспринимает мир через цвета и запахи, это помогает почувствовать настроение человека так точно, словно измеряешь градусником температуру. Иногда она удивлялась, что другие этого не умеют. Неужели Андрей Петрович не видит, какой *горячей* стала Алена, что ее цвет изменился с ярко-розового на тревожно-алый?.. Неужели он не чувствует, как Ольга Алексеевна ее ненавидит? За эту сцену Ольга Алексеевна менялась в цвете два раза. Когда Нина вошла в кухню, она была, как всегда, холодно-серой. Увидев Нину, мгновенно стала ярко-синей, а сейчас пылала оранжевым, таким горячим, что было жарко стоять рядом.

Андрей Петрович ни разу не видел Нининых слез, как и вообще каких-либо ее эмоций. Эта девочка жила рядом с ним так невесомо, так функционально, что он почти не чувствовал ее присутствия в доме, и сейчас он как будто впервые ее увидел — вот она, стоит перед ним, как солдатик, по стойке смирно и беззвучно плачет черными слезами. За годы, что Нина жила у них, Андрей Петрович никогда не подписывал ее дневник, не держал в руках ее свидетельство о рождении, — смешно, но он впервые увидел это «Нина Смирнова» и удивился — какая-такая Нина Смирнова, откуда взялась?! И вспомнил вдруг, как принес младенцев Алену с Аришей в поликлинику, взял в руку медицинские карты, на которых стояло «Алена Смирнова», «Арина Смирнова», и — какой он вдруг испытал восторг: два комочка носят его фамилию, эта неземная прелесть — его, его!..

Андрей Петрович собирался сказать что-то неуклюже утешительное, вроде «слезами горю не поможешь, будет у тебя еще не одна записка и не один мальчик...», но вдруг возмутился, как будто даже обиделся — а чего это она уж так горько плачет?! Как будто ей не на свидание с незнакомым мальчиком запретили пойти, а он ее обидел, ударил. Как будто он зверь какой!.. Если бы он имел привычку анализировать свое душевное состояние, он сказал бы себе — в том, что он не испытывает отцовских чувств к Нине, его вины нет, разве возможно полюбить чужую по крови взрослую девочку, как два своих родных комочка, чтобы хоть режь его за них на куски? Но Смирнов не имел привычки анализировать свое душевное состояние и от душевного дискомфорта начинал злиться. Возмущение нарастало в нем, как будто закипал чайник, бурлило потихоньку и вот-вот собиралось выплеснуться криком. Но он не закричал и не сдержался, не промолчал, а сказал кое-что совершенно невообразимое:

— А я сам схожу. Посмотрю, что там за хрен с горы...

— Что?.. Куда ты сам сходишь?.. Зачем?..

— А что такого? — хмыкнул Смирнов и, строго глядя на ошеломленную Ольгу Алексеевну, пояснил: — В магазин зайду, молоко куплю или чего там еще... хлебобулку... Заодно пройду по Щербакову.

Ольга Алексеевна и Нина смотрели не на него, а друг на друга. Нина продолжала всхлипывать, теперь она плакала от благодарности, что он принимает в ней такое участие, и немного от стыда перед этим мальчиком — вместо нее на свидание придет отец... А Ольга Алексеевна сама не знала, чем поражена больше — ее муж, первый секретарь Петроградского райкома, пойдет смотреть на какого-то мальчишку! Пойдет в магазин! Хочет купить молоко!.. Или что там еще... хлебобулку...

Андрей Петрович положил записку в карман, встал:

— Я пошел. Дай колбасу.

Ольга Алексеевна прошептала:

— Андрюшонок?..

— Да не сошел я с ума, не смотри так. Там кот сидит. На первом этаже, у лифта. Дай кусок колбасы. И красной рыбы.

Обычно плывущая, как царевна-лебедь, Ольга Алексеевна понеслась вслед за мужем с пакетиком с колбасой и рыбой.

— Андрюшонок, сетка!.. Сетку возьми!..

Пакетик для кота Смирнов взял, а на сетку презрительно хмыкнул — он что, домохозяйка, с сеткой по улицам шастать?

— Деньги не забыл? — Ольга Алексеевна насмешливо улыбнулась. — Без денег хлебобулку не дадут. Ты из окна машины заметил, что в стране пока еще не коммунизм?

Такое детское ехидство по отношению к мужу было совершенно ей не свойственно, но ведь и он повел себя как ребенок! Он что же, таким нелепым способом наказывает ее за плохое отношение к Нине?.. Но как он не понимает?! Как ей сдержать свои чувства, когда на душе так невыносимо тошно?.. Ольга Алексеевна задавала себе вопрос, который до нее задавали бесконечно — *за что*? За что им все это?.. Все отвечают себе на него по-разному, Ольга Алексеевна отвечала так: понятно, за что, за сделанное добро. Говорят же: не делай добра — не будет зла.

* * *

Это было как приключение — идти одному по улице, как обычному человеку. Стоять в очереди, доставать мелочь у кассы, рассматривать народ. И, как любое хождение в народ, хождение Смирнова в народ за хлебобулкой окончилось бесславно.

В булочной напротив Толстовского дома Андрей Петрович с неудовольствием отметил: ассортимент плоховатый, хлеб вчерашний, батоном за 22 копейки можно человека убить, — и это безобразие творится не где-то на окраине, а в пяти минутах от Невского проспекта! У кассы очередь, кассирша ленива и хамовата, на вежливую просьбу завернуть батон в упаковочную бумагу ответила фразой, как будто из Райкина: «Еще чего, буду я заворачивать каждому! Вас много, а я одна!» Услышав обращенное к себе «вас много, а я одна», Смирнов растерялся, как будто ослышался, ведь это *их* много, а *он* один. Но что можно поделать с этой наглой бабой — вызвать на ковер, вышибить из партии?.. Смирнов содрогнулся в беспомощном бешенстве, бешенстве титана, обиженного букашкой, и, прорычав «уволить тебя надо к чертовой матери!», схватил батон и вышел, а свободная в своей безнаказанности букашка сопроводила его уход визгливым «а и увольняй, сам, что ли, за кассу сядешь...» и, в точности как у Райкина, «ходят тут всякие...».

«Безобразие у нас в сфере обслуживания...» — подумал Смирнов, огибая Толстовский дом со стороны Щербакова переулка, подышал медленно, чтобы погасить ярость, двинулся по Щербакову переулку, помахивая батоном, и плавно перешел от одной неприятной мысли к другой: «Растут девчонки...» Конечно же, он не собирался разглядывать мальчишку, написавшего записку, просто решил пройтись подышать... Растут девчонки, скоро Алена с Аришей начнут ходить на свидания... Смирнов скрипнул зубами, представив, что Алену может кто-то ждать, нетерпеливо ходить с цветами, протянуть букет, робко взять за руку... поцеловать... Поцеловать его Алену?!

— Меня не расстреляли, — вдруг возник в ухе голос.

Смирнов не слышал этого голоса, мягкого, бархатного, много лет. Если бы у него было несколько секунд, лучше минут, он принял бы решение остановиться — ему было что сказать обладателю голоса. Но реакция у Смирнова была не быстрая, он по инерции прошел мимо — прошел несколько шагов и остановился. Стоял, не поворачивая головы, с неподвижным лицом, ждал, а тот, второй, тут как тут. Догнал, со словами «а ты поправился, Андрюша, живот отрастил» встал напротив.

— Сука ты, я тебя сам расстреляю... Кино он мне тут, понимаешь, разыгрывает... Артист, блядь... — сказал Смирнов и размеренно, словно вколачивал гвозди в непонятливую башку: — Если ты... еще раз... хоть на метр... подойдешь к моему дому, я тебя посажу, ты понял, падла?..

Смирнов говорил спокойно, размеренно, сказал, что хотел, поставил точку и ткнул в грудь «артисту» батоном, как будто направил на него автомат.

— Не стреляй, — улыбнулся «артист» и нарочито шпионским, интимным шепотом: — Андрюша, батон не заряжен?.. Ладно, не злись, я понял, ты будешь защищать свой дом батоном до последней капли крови.

Внимательный наблюдатель сказал бы, что в этой сцене было что-то неорганичное.

...Щербаков переулок, вдоль боковой фасадной линии Толстовского дома соединяющий Фонтанку и улицу Рубинштейна, не самое странное среди странных питерских мест, но все же странное. Всего пять минут до Аничкова моста, до Невского проспекта, а на Щербаке тишина, ни потока машин, ни толпы прохожих, и если бы не возможность из каждой точки переулка полюбоваться знаменитым сочетанием воды и камня, то будто провинция, не Ленинград. Смирнов, кстати, никогда не говорил «на Щербаке», он, хоть и ленинградский начальник, был все же не ленинградский человек, и эта домашняя легкость, этот свойский жаргончик ему не давались. А вот дочери его уже были ленинградские девушки из Толстовского дома и, как настоящие ленинградские люди, весь парадный город вокруг себя одомашнили, говорили — встретимся на Ватрушке, или в Катькином саду, или у Казани, или на Климате, или на Щербаке. И в крошечном садике на Щербаке тихо, безлюдно, но — помойка. Рядом с крошечным садиком помойка, то есть все же есть человеческое мельтешение.

Так вот, если бы внимательный наблюдатель пошел выносить мусор на помойку, он сказал бы, что эти двое мужчин, Смирнов и его давний знакомый, выглядели как играющие в разных пьесах актеры, по ошибке оказавшиеся на одной сцене. Смирнов, в костюме и рубашке с галстуком, — он много лет не выходил из дома одетый иначе, большой сильный мужик, начальник, командир жизни, стоял в угрожающей позе, и даже этот глупый батон за 22 копейки, который он держал как автомат, не смешил, а прибавлял страха — как даст по башке, так уедешь на горшке... И тот, второй, непринужденно улыбающийся, одетый с несоветским изяществом, интеллигентного вида, к нему никак не могли относиться ни «сука», ни «падла», ни «я тебя посажу». Смирнов сказал «артист, блядь», и действительно, что-то в нем было театральное, он будто ожидал аплодисментов за свое эффектное появление.

Но реакция у «артиста» была хорошая, много лучше, чем у Смирнова, он был готов, несмотря на плохого партнера, играть свою роль как было задумано и, очевидно, не раз мысленно отрепетировано.

— Андрюша, ты хоть из приличия скажи: «Ник, я изумлен, я много лет считал тебя мертвым...»

Смирнов усмехнулся, не щедро, шевельнув уголком рта:

— Кулаков Николай Сергеевич, сорок второго года рождения, в шестьдесят шестом осужден за валютные операции по восемьдесят восьмой статье Уголовного кодекса, приговорен к высшей мере наказания. Высшая мера заменена сроком шестнадцать лет. Вышел по амнистии в семьдесят восьмом.

Это было открытие счета — «я знаю все, что мне нужно», один-ноль в пользу Смирнова. В глазах Ника мелькнула растерянность — ты знал...

Один-ноль.

— Я, собственно говоря, не за этим.

— Вспомнил про дочку, здрасьте! Хрена тебе, а не дочку.

Два-ноль!.. О дочке еще и слова не сказано, а Смирнов уже сказал — хрена тебе, а не дочку.

Два-ноль!..

Не странно ли — одному из первых руководителей города, хозяину Петроградки разговаривать с бывшим зэком, всю свою силищу обрушивать на осужденного валютчика, бархатно прошелестевшего ему совсем не из его жизни слово «расстреляли»? ...Теперь понятно, почему Смирнов не мог просто пройти мимо него, как мимо кучи мусора, — а чтобы *счет в нашу пользу*!

Смирнов был доволен собой: победил и не сорвался, не плюнул в ненавистное лицо, не убил. Черт дернул Катьку, такую красивую, умную, студентку, связаться с этим... Одно имя чего стоит — Ник!.. Американец, засунул в жопу палец! Сам себя так назвал, а от рождения Николай, как все люди. Николай Сергеевич, тезка Хрущева по отцу. Вот Хрущев и впаял своему тезке по полной!..

— Ты говорил: «Ты, коммунист, дома колбасу с газеты трескаешь, а я икрой в ресторанах завтракаю». Ну что, назавтракался в лагерях-то?..

— Ты, Андрюша, в лагере пропал бы, а у меня и там были икра, вино и женская ласка. Кто умеет жить, тот везде умеет, а мне присуще умение жить.

Смирнов хмыкнул — опять началось их противостояние, как будто и не прошли годы, как будто они опять молодые. ...Противостояние между ними возникло с первой минуты, как Катька привела его в дом, похожее на злобное тупое противостояние между городскими и деревенскими на танцах, стенка на стенку, — вроде бы беспричинное, но в действительности очень глубоко причинное!.. Одни деревенские, другие городские — вот причина. Идеалы у них были разные. Ник все иностранное обожал, социалистический строй ненавидел, а он не мог ему как следует по-партийному врезать, был рядом с ним как немой и от своей немоты еще больше злился, прямо-таки рычал от злости. Ник к нему относился как будто он не человек, а одноклеточное. Говорил: «Мы с тобой культурно перпендикулярные, ты с ножа ешь, а я Гомера в подлиннике читаю...» Ну, он, конечно, по сравнению с ним был не слишком образованный, неполные три курса техникума и партучеба, а Ник из приличной семьи, кандидат экономических наук. ...Был кандидат наук, а стал зэк. Но надо отдать ему справедливость, не похож на зэка, не осталось на нем следов тюрьмы, похож на доцента из института... на прежнего Ника.

— ...Андрюша, ты думаешь, что я мог бы раньше о ней вспомнить?.. Но ты не представляешь, что такое выйти через двенадцать лет... Жизнь вокруг другая, все связи потеряны. Нужно было понять, что делать, найти свое место... Ты думаешь — зачем мне дочка, которую я один раз видел младенцем?.. Но, Андрюша, я постарел. Других детей у меня нет, насколько мне известно. Вот я и написал записку...

— Записку? Написал? Мог бы просто к ней на улице подойти, так нет! Тебе так не интересно. Тебе, сука, интересно из всего кино сделать.

— Андрюша, ты медведеешь, не медведей, Андрюша...

Странное «медведеешь» было из молодости, «Андрюша, ты медведеешь» говорили ему Ольга Алексеевна и ее сестра, так и не ставшая Екатериной Алексеевной, — Катя. Молодая Ольга Алексеевна в нежные минуты называла его «медведище ты мой» — в мгновения сексуального волнения он, такой большой, с малоподвижным лицом с крупными чертами вдруг становился трогательно зависимым от нее, беззащитным, как цирковой медведь на поводке. Это было интимное — «медведь ты мой». Но когда две нежно привязанные друг к другу сестры живут вместе, одна замужем, а другая *рядом* с любовью, то атмосфера медового месяца, любви, кокетства невольно становится общей, обе сестры — без всякой, конечно, двусмысленной окраски, считали, что он отчасти их общий мужчина. Когда Смирнов начинал злиться, Ольга Алексеевна предупреждающим тоном говорила: «Андрюша, ты медведеешь», и Катя вслед за ней нежно повторяла: «Андрюша, ты медведеешь, не медведей, Андрюша».

...Вон он что вспомнил...

— ...Я подумал, что...

— Ты подумал, что не увидишь ее никогда. Ты скоро сядешь. Сдохнешь в тюрьме и не увидишь. Статья — твоя любимая, «хищение в особо крупных размерах». От лишения свободы до исключительной меры наказания.

Знает, он *все* о нем знает. — Ник словно получил удар наотмашь, тем более обидный, что нанес его Смирнов вроде бы с простодушной бесхитростностью. Внешняя невозмутимость прибавляла Смирнову очков в этом разговоре, где каждая фраза была с подтекстом «кто кого». А Ник не смог удержать лицо; растерянность, беспомощная злость проступили сквозь напускную иронию мгновенно, как пролитое вино пятном на скатерти. И это не было еще одним очком в пользу Смирнова, это была — *победа*, блестящая победа, выигранная всухую игра.

Смирнов развернулся и двинулся к дому, бросил через плечо:

— Чего стоишь, иди отсюда... пристал, понимаешь, как банный лист к жопе.

...Смирнов шел по Щербакову переулку, помахивая своим батоном. ...Честно говоря, сохранить спокойствие в этом разговоре было *возможно*. Все уже было им пережито — шок, ярость, бешенство. И даже сердечный приступ. Когда он открыл папку с разработкой ОБХСС, ему стало плохо с сердцем...

то есть сначала он, размахнувшись, швырнул об стену графин с водой. Затем сам, постеснявшись секретаршу, собрал осколки, начал задыхаться, еле дополз до стола, где в верхнем ящике хранилась аптечка, перепутал валидол с нитроглицерином... На первой странице дела было невозможное, нереальное. Кулаков Николай Сергеевич 1942 года рождения, в 1966-м осужден по 88-й статье, приговорен к высшей мере наказания, высшая мера заменена сроком 16 лет, в 1978-м вышел по амнистии, стоит во главе преступной группировки, организатор подпольного предприятия по адресу Набережная реки Карповки, дом...

...Смирнов поежился — к чертовой матери! К чертовой матери думать об этом, лучше он подумает, как объяснить дома, почему так долго покупал этот проклятый батон. Олюшонок очень тяжело переживает. Это он виноват, привык говорить ей все... Про Ника рассказал, как только узнал, что расстрелянный-то жив-здоров. И шьет футболки. С тех пор она, бедная, все крутит в голове — а если бы они тогда не взяли в дом дочь осужденного валютчика?.. Смирнов усмехнулся — вспомнил, как лежали ночью без сна, все было переговорено, решение принято — брать девочку в дом нельзя, опасно, и он вдруг заорал: «Я сказал — поедешь и заберешь!..» — а Олюшонок, оказывается, уже билет купила за Ниной ехать. Откуда знала?.. Олюшонок — любовь на всю жизнь, любовь, как классик сказал, — это смотреть в одну сторону.

Олюшонок считает, что Нина принесла в дом беду. Сколько ни убеждал ее — кому придет в голову искать связь между удочеренной им девочкой и организатором преступной группировки?! Но — женщины... никакая логика не помогает. Олюшонок Нину ненавидит, сама же из-за этого казнится. И крутит, крутит в голове: если бы то, если бы это... Если бы у бабушки были яйца, она была бы дедушкой.

— Андрюша?.. Мы уже взрослые дяди, а все, как мальчишки, хуями меряемся. У тебя с молодости свербит доказать, что ты круче, так ты *круче*. Я уже одной ногой в тюрьме, а ты начальник. Вот пальнешь сейчас в меня из батона, и тебе ничего не будет... — торопливо говорил Ник. — Ты мою дочь растишь. Я хочу тебе помочь. Я тебе дам кое-какую информацию, по-родственному, из благодарности.

...Смирнов слушал, в его глазах мелькала череда быстрых превращений — озадаченность, ярость, собранность, а лицо при этом оставалось неподвижным, бесстрастным.

— Андрюша?.. Это важная для тебя информация... Я по-родственному, из благодарности...

— Мне твоя благодарность на хер не нужна, — сказал Смирнов.

Вокруг была все та же обычная ленинградская серость, что-то моросит, то ли дождь, то ли снег, вроде бы ничего не изменилось, но изменилось все. Информация бывает важная, а бывает такая, что пригибает человека к земле. Информация, которую по-родственному дал ему Ник, мгновенно перевела ситуацию с подпольным цехом из разряда «вопрос, который нужно решать» в «полный пиздец».

Сначала Смирнову показалось, что он ослышался. Что за хрень такая? Подпольное производство на Карповке работает под прикрытием его заместителя по идеологии? Витюша помогает цеховикам получать из государственных фондов сырье и оборудование?

— Меня возьмут через месяц-другой, мне уже не выпутаться. Второй секретарь райкома, твой зам, — это моя козырная карта. Я его сдам и буду торговаться с органами, чтобы понизить себе срок. У меня на твоего Витюшу материала лет на десять потянет.

Смирнов еще думал — эта сука Ник врет, но уже понимал — нет, не врет. Теперь Витюша сядет и его за собой потащит. При Брежневе они бы скрыли участие второго секретаря райкома, а сейчас они заинтересованы его посадить. А может, они захотят весь райком посадить, им московские успехи покоя не дают, им нужно отчитаться — они тоже раскрыли огромное дело, связанное с партийной верхушкой. Теперь все.

— ...Андрюша, ты понял, какой пердюмонокль? Я глава подпольного бизнеса, ты глава района, а твой заместитель одновременно является моим заместителем... И заместитель у нас с тобой один, и дочка общая... Ну, я тебе помог, теперь ты предупрежден и сможешь просчитать все ходы...

Смирнов уже успел просчитать все ходы. Один вариант — сидеть на жопе ровно и ждать, как развернутся события. Показаний на него нет и быть не может. Но и без показаний ясно, что ему конец. Кто поверит, что его зам входит в преступную группировку, а сам он ни сном ни духом? Второй вариант — забежать вперед, пойти на ковер в обком и самому сдать своего зама. Но возникнет вопрос — откуда ему все известно? Если откроется его странная связь с Ником, его вынесут, как пыль с этого ковра. И где гарантия, что, сдав своего зама, он не затронет ничьих интересов?..

— Мне конец. «Я не я, и жопа не моя» не пройдет. Мне не отмыться. Система такова, что мне конец.

— Тебе конец?.. — переспросил Ник. — Ты хочешь сказать, что в этой ситуации любые твои действия, в том числе и бездействие, повлекут за собой одни и те же последствия?.. Да, я понял. Ну... пардон. Я хотел помочь. Но законы у вас в партии покруче наших, первый секретарь не может отвечать за все, за... ну, я не знаю, за любого хулигана, взломавшего ларек...

— Я сам отвечаю за все мое.

Ник сделал гримасу, означавшую «теперь одноклеточное говорит как коммунист из старых фильмов — я отвечаю за все». Смирнов медлил, не уходил и вдруг, замявшись, спросил:

— Зачем?.. Скажи, зачем?.. Вот ты сейчас сядешь. Но ведь ты знал, что все равно посадят. Для цеховика нет лазейки в законе. Частное производство не разрешено, и точка. Зачем тебе все это? Ради чего ты просрал свою жизнь?.. Ради денег?

Все-таки была между ними неразрешенная ситуация, невыясненные отношения, все-таки Ник с этой недоступной ему интеллигентной речью, хорошо сформулированными мыслями сидел у него в печенках, и этот вопрос остался с молодости — зачем?! Неужели так сильна у Ника была страсть к наживе, что ничто его остановить не могло, ни знаменитые процессы валютчиков в начале шестидесятых, ни расстрельные приговоры?..

— Ради денег?.. Я хорошо одет, у меня есть деньги, «Жигули» последней модели, и ты думаешь, ради этого дерьма я подставляю себя под расстрельную статью?.. Андрюша, подумай своей головой, а не общей, партийной. Если я имею доступ к ворованному сырью, почему бы мне просто не перепродать это сырье? Зачем мне организовывать производство? На кой черт мне это?

— На кой черт тебе это? — эхом повторил Смирнов.

— Да, есть кое-что тебе незнакомое. Творчество. Я хороший экономист. У вас рыночной экономики нет, а у меня есть! Ваша продукция даже при полном дефиците никому не нужна. Ольга твоя, девочки одежду фабрики «Красная большевичка» покупают? Не покупают. А то, что я шью, разлетается вмиг. У вас зарплата инженера сто двадцать рублей, а у меня швея зарабатывает триста в месяц. И все это — мой мозг, мои личные способности. Я бы в любой стране был миллионером, а ты кем — начальником? А ты, Андрюша, что умеешь?!

Смирнов уже жалел о своем порыве, Ник улыбался довольно, как кот, ему только дай поговорить.

— ...Андрюша, не уходи! Ты спросил, зачем мне все это, я ответил. Так нечестно. Теперь ты скажи — зачем тебе быть партийным начальником? Ради черной «Волги», пайков ваших дерьмовых, пока народ в очередях стоит? Ведь не ради этого, правда? ...Тебе нужна власть. Меня сейчас посадят, так я сяду за свое. А ты будешь отвечать за меня.

— Надо будет — отвечу, — мрачно сказал Смирнов. — У меня есть дело, которое... мое дело... которое... я... Для людей. А ты врешь. Ты все для себя. Ты под моими окнами дежуришь, чтобы свою дочку увидеть, а я сам своих дочерей ращу, мне им записки писать не нужно.

Ник смотрел вслед Смирнову — Смирнов был некрасноречив, аргумент его был единственный и нечеткий, но что-то неуловимое, косноязычность Смирнова, простота аргумента, уверенная злость, с которой смотрел на него его давний недруг, помешало Нику насмешливо заметить «это *у меня* есть дело». ...Вот и закончился Андрюша, еще минуту назад был всем, а сейчас — никто. Прет по переулку, как танк, с этим своим батоном, вот замедлил ход, скособочился, подволакивает ногу... Не свалится ли прямо здесь, в садике, с инсультом? Где-то он прочитал: «Инсульт и инфаркт — это реакция человека, выплеснувшего свое отчаяние в организм». ...Вроде выправился, пошел дальше.

Слово «удача» странно звучит применительно к человеку, которому грозит статья «хищение социалистической собственности в особо крупных размерах», но Ник и был человеком странным — он искренне считал свою жизнь удачной. Маленьким он умилял родителей фразой «мне так этого хочется, что я никак без этого не могу», взрослым по-взрослому сформулировал принцип теории разумного эгоизма, устанавливающей для субъекта принципиальный приоритет его личных интересов над любыми другими интересами, в самой простой формулировке — «делай только то, что хочешь».

Удача — это получить то, что хочешь. Ни разу в жизни он *не захотел* кому-нибудь «помочь» и сегодня и в мыслях не держал предъявлять Смирнову информацию о его заме, это его туз в рукаве. А потом *захотел*, конечно, не ради самого Смирнова, ради себя. Помочь означает быть благородным и сильным, быть человеком, а не говном, и стать выше Смирнова, взять реванш. Разве мог он позволить, чтобы Смирнов ушел, закончив разговор унизительным «пристал, как банный лист к жопе», своей небрежностью сводящим огромность его возникновения из небытия до мизерной неприятности, до банного листа к жопе!..

Помочь не вышло, вышло круче — потопить Смирнова. Он и не думал, что у них в партийных верхах все так устроено. Ну, Смирнову лучше знать.

...Если честно, умеет одноклеточное держать удар... Другой бы потек, как снежная баба под апрельским солнцем, превратился в дрожащее ничтожество, а этот ни словом, ни взглядом не показал, что не по своей вине стоит на грани потери всего: чести, работы, жизни... Если честно, моральное превосходство на стороне одноклеточного, жалко трюхающий со своим глупым батоном Смирнов оказался благородней его.

И эта его обидная финальная фраза: «Ты под моими окнами дежуришь, а я сам своих дочерей ращу»... Они, конечно, не мальчишки, чтобы хуями меряться, но невыносимо обидно, что сегодня у Андрюши — больше.

\* \* \*

Бедная Нина, ей словно на роду написано быть не нужной родителям, ни родным, ни приемным, никому! Как будто над входом в волшебную страну, где родители любят своих детей, была надпись «А ты уходи». Она вдруг случайно сделалась такой важной фигурой, такой значимой в этом состязании самолюбий обоих своих отцов, что наконец-то могла бы стать *важным персонажем других жизней*. Но нет. В этом разговоре о Нине *о Нине* не было сказано ни слова, ее родной отец не спросил даже, какая она, а тот, кого она считала своим родным отцом, не сказал даже самых общих слов — «она хорошая девочка». Для обоих своих отцов она была лишь ложным призом, мячиком, которым перебрасывались мужчины, ведущие себя как подростки. Всех, кто вокруг Нины, было так удивительно *много*, что рядом с ними она сама была почти что невидимкой. Бедная Нина.

*Литературно-художественное издание*

**16+**

*Серия «Проза Елены Колиной»*

## Колина Елена Викторовна

## ЧЕРЕЗ НЕ ХОЧУ

Роман

Редакционно-издательская группа «Жанры»

Зав. группой *М.С. Сергеева*
Ответственный за выпуск *Т.Н. Захарова*
Технический редактор *Т.П. Тимошина*
Корректор *И.Н. Мокина*
Компьютерная верстка *Ю.Б. Анищенко*

ООО «Издательство АСТ»
127006, г. Москва, ул. Садовая-Триумфальная,
д. 16, стр. 3, пом. 1, комн. 3

Отпечатано с готовых файлов заказчика
в ОАО «Первая Образцовая типография»,
филиал «УЛЬЯНОВСКИЙ ДОМ ПЕЧАТИ»
432980, г. Ульяновск, ул. Гончарова, 14